D1503860

Webster's Dutch to English Crossword Puzzles: Level 1

Designed for ESL, ELP, EFL, TOEFL®, TOEIC® and AP® Learning

Webster's Online Dictionary
(www.websters-online-dictionary.org)

TOEFL®, TOEIC®, AP® and Advanced Placement® are trademarks of the Educational Testing Service which has neither reviewed nor endorsed this book.

Published by ICON Group International, Inc.
7404 Trade Street
San Diego, California 92121

www.icongrouponline.com

This edition published by ICON Classics in 2005
Printed in the United States of America.

Webster's Dutch – English Level 1 Crossword Puzzles adapted for ESL, ELP, EFL, TOEFL®, TOEIC® and AP® Learning

Copyright © Webster's Dutch – English Level 1   Crossword Puzzles adapted for ESL, ELP, EFL, TOEFL®, TOEIC® and AP® Learning 2005 by Philip M. Parker

All rights reserved. This book is protected by copyright. No part of it may be reproduced, stored in a retrieval system, or transmitted in any form or by any means, electronic, mechanical, photocopying, recording, or otherwise, without written permission from the publisher.

Copying our publications in whole or in part, for whatever reason, is a violation of copyright laws and can lead to penalties and fines. Should you want to copy tables, graphs, or other materials, please contact us to request permission (E-mail: iconedit@san.rr.com). ICON Group often grants permission for very limited reproduction of our publications for internal use, press releases, and academic research. Such reproduction requires confirmed permission from ICON Group International, Inc.

Note to teachers: You are granted permission to photocopy individual puzzles to distribute as assignments to students enrolled in your classes.

The contents form this book have been extracted, with permission, from Webster's Online Dictionary, www.websters-online-dictionary.org (copyright Philip M. Parker, INSEAD).

TOEFL®, TOEIC®, AP® and Advanced Placement® are trademarks of the Educational Testing Service which has neither reviewed nor endorsed this book.

ISBN 0-497-82688-7

PREFACE

Webster's Crossword Puzzles are edited for three audiences. The first audience consists of students who are actively building their vocabularies in either Dutch or English in order to take foreign service, translation certification, Advanced Placement® (AP®)[1] or similar examinations. By enjoying crossword puzzles, the reader can enrich their vocabulary in anticipation of an examination in either Dutch or English. The second includes Dutch-speaking students enrolled in an English Language Program (ELP), an English as a Foreign Language (EFL) program, an English as a Second Language Program (ESL), or in a TOEFL® or TOEIC® preparation program. The third audience includes English-speaking students enrolled in bilingual education programs or Dutch speakers enrolled in English speaking schools.

This edition is for Level 1 vocabulary, where the higher the level number, the more complicated the vocabulary. Though highly entertaining, if not addictive, this crossword puzzle book covers some 3000 translations. In this book, hints are in Dutch, answers are in English. This format is especially fun (or easiest) for people learning Dutch; the format is most instructive, however, for people learning English (i.e. the puzzles are a good challenge). Within each level, the puzzles are organized to expose players to shorter and more common words first. Subsequent puzzles mostly build on these using longer and more complicated vocabulary. Learning a language is always difficult. To ease the pain, hints are provided in small script at the bottom of each page, though these are selected to prevent an engineered solution to the puzzle. Players need to learn the meanings of the words in order to place them correctly. Full solutions are provided in the back of the book. These two features (hints and verifiable solutions), force the reader to decipher a word's meaning and serves to improve vocabulary retention and understanding. Translations are extracted from Webster's Online Dictionary. Further definitions of remaining terms as well as translations can be found at www.websters-online-dictionary.org. Enjoy!

The Editor
Webster's Online Dictionary
www.websters-online-dictionary.org

---

[1] TOEFL®, TOEIC®, AP® and Advanced Placement® are trademarks of the Educational Testing Service which has neither reviewed nor endorsed this book.

Puzzle #1:   Level 1 - Most Common

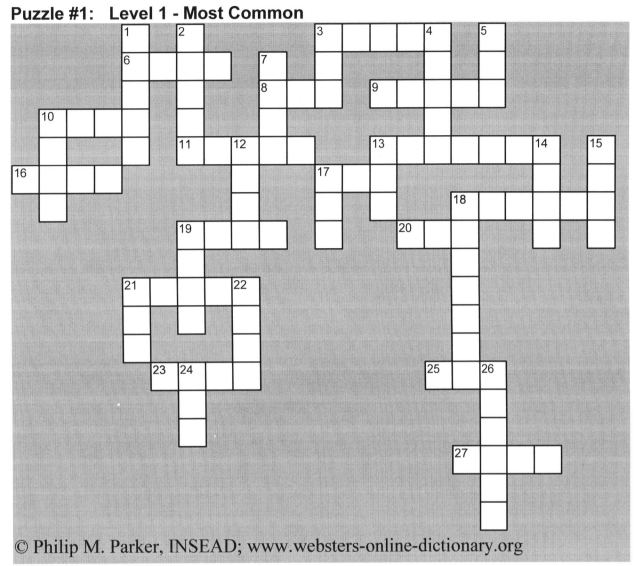

© Philip M. Parker, INSEAD; www.websters-online-dictionary.org

Across

3 ander
6 hier, hierheen, alhier
8 en
9 nacht
10 meer, langer
11 macht, mogendheid, vermogen
13 niets, niks, niemendal
16 weten, kennen, beheersen
17 de, het, des te
18 voor, aleer, alvorens
19 met, samen met, aan
20 een, men, iemand
21 klein, gering, karig
23 dat, die, hetgeen
25 ja, jawel
27 lang

Down

1 drie
2 groep, groepering, drift
3 oud, bejaard, vergevorderd
4 rechts, recht, juist
5 niet, nee, neen
7 nemen, aannemen, aanvaarden
10 veel, vele, menig
12 willen, begeerte, behoefte
13 nieuw, opkomend
14 goed, okee, welzýn
15 wanneer, toen, als
17 twee
18 omdat, aangezien, daar
19 wat, hetgeen
21 zeggen, opgeven, zeg
22 links, linksaf, linksom
24 hoe, op welke manier, wat
26 tweede, seconde, tel

Solutions: and, because, before, good, group, here, how, know, left, long, many, more, new, night, not, nothing, old, one, other, power, right, say, second, small, take, that, the, three, two, want, what, when, with, yes. (34 words). See www.websters-online-dictionary.org

6

Puzzle #2: Level 1 - Most Common

© Philip M. Parker, INSEAD; www.websters-online-dictionary.org

Across

3 ze, men, zij
4 waarom, hoe zo, hoezo
7 hebben, erop nahouden, genieten
9 huis, pand, geslacht
10 zes
12 tussen, onder
15 dag
17 wereld, aardrýk, aardrijk
18 einde, uiteinde, beëindigen
19 plaats, plek, zetten
20 vorm, formulier, aangaan
23 door, met, per
24 werken, arbeid, werk
27 iets
28 openbaar, publiek, ruchtbaar
30 vaak, menigmaal, gedurig
31 geld, poen
32 zien, aantreffen, ontmoeten

Down

1 daar, aldaar, er
2 veel
4 waar, waarheen
5 lokaal, plaatselijk, plaatselýk
6 geven, cadeau geven, schenken
8 gebied, oppervlakte, areaal
11 van, uit, met ingang van
13 dan
14 getal, aantal, nummer
16 jaar
20 vier
21 misschien, wellicht, soms
22 staat, beweren, verzekeren
25 punt, spits, neus
26 denken, nadenken, achten
29 komen, afstammen, ontspruiten

Solutions: area, between, come, day, end, form, four, from, give, have, house, local, money, much, number, often, perhaps, place, point, public, see, six, something, state, than, there, they, think, through, where, why, work, world, year. (34 words). See www.websters-online-dictionary.org

Puzzle #3:   Level 1 - Most Common

© Philip M. Parker, INSEAD; www.websters-online-dictionary.org

Across

1 rug, terug, achterkant
5 nog, alsnog, bedaren
8 hoog, verheven
10 in, binnen, per
11 alleen, enkel, slechts
13 zetten, aanspannen, leggen
16 mensen, volk, lieden
18 betekenen, bedoelen, gemiddeld
20 onze, ons
21 nodig hebben, behoeven, hoeven
23 regering, overheid, gouvernement
24 wie, die, dat
25 je, u, jij
26 dit, dit hier, deze
27 gebruik, gebruiken, aanwenden

Down

2 land, open veld, platteland
3 zeggen, vertellen, opgeven
4 opnieuw, nogmaals, weer
6 klein, gering, karig
7 nu, nou, enfin
9 thuis, huiswaarts, naar huis
12 dons, naar beneden, nesthaar
14 inblikken, blik, blikje
15 gedachte, dacht
16 deel, stuk, gedeelte
17 leven, hachje
18 most, moeten, behoren
19 altijd, immer, steeds
22 je, jouw, uw
26 keer, tijd, maal

Solutions: again, always, back, can, country, down, government, high, home, into, life, little, mean, must, need, now, only, our, part, people, put, still, tell, this, thought, time, use, who, you, your. (30 words). See www.websters-online-dictionary.org

Puzzle #4:   Level 1 - Most Common

© Philip M. Parker, INSEAD; www.websters-online-dictionary.org

Across

4 hoofd, kop, geleiden
6 beide, allebei, alle twee de
8 vinden, aantreffen, bevinden
10 al, alreeds, reeds
12 belangrijk, erg, ernstig
14 achter, na, nadat
16 vijf, výf
17 onder, beneden
19 sommige, enige, enkele
20 sedert, sinds, vanaf
21 vervolgens, dan, daarop
24 worden, goed staan, gebeuren
25 kamer, bestek, speling
26 tegen, jegens, met
27 zoals, als, mogen

Down

1 hun, haar
2 nog, al, alreeds
3 erg, heel, zeer
5 ook, eveneens, evenzeer
6 beter
7 minder, min
9 verschillend, uiteenlopend, anders
11 groot
13 dingen, spullen
15 eerste, eerst
16 feit
18 nooit, nimmer
22 firma, compagnie, vennootschap
23 staande, gedurende, terwijl
24 maar, behalve, bý uitzondering

Solutions: after, against, already, also, become, better, both, but, company, different, fact, find, first, five, head, important, large, less, like, never, room, since, some, their, then, things, under, very, while, yet. (30 words). See www.websters-online-dictionary.org

Puzzle #5: Level 1 - Most Common

© Philip M. Parker, INSEAD; www.websters-online-dictionary.org

Across

1 baan, gebruik, gewoonte
3 eerstkomend, eerstvolgend, naast
4 zijn, de zijne, de zýne
8 tof, excellent, groot
9 geval, aangelegenheid, affaire
13 al, alhoewel, hoewel
14 voor, gedurende, onder
15 elk, ieder, iedere
16 bezitten, erop nahouden, eigen
17 hem, hij
20 zelfs, effen, quitte
21 gedurende, staande, onder
25 over, circulerend, in omloop
26 echter, maar, niettemin
27 tot, totdat, binnen

28 jong, aankomend, beginnend

Down

2 alhoewel, hoewel, al
5 buiten, daarbuiten, eruit
6 dit, deze, dit hier
7 ontwikkeling, evolutie, wordingsproces
9 raad, raadgevend lichaam
10 behoren, dienen, horen
11 meest, hoogst
12 blik, er uitzien, kijken
13 ding, voorwerp, mikpunt
18 echt, waarachtig, werkelýk
19 binnen, in, per
22 feest, aanhang, leden
23 eveneens, ook, evenzeer
24 goed, put, wel

Solutions: about, although, case, council, development, during, each, even, for, great, him, his, however, look, most, next, out, own, party, really, should, these, thing, though, too, until, way, well, within, young. (30 words). See www.websters-online-dictionary.org

Puzzle #6: Level 1 - Very Common

© Philip M. Parker, INSEAD; www.websters-online-dictionary.org

Across

2 zonder, gespeend van, ontbloot van
4 baseren, funderen, grondvesten
5 zij, ze
7 meer, nader, verder
9 kant, flank, stem
10 testament, uiterste wil, wil
12 een of ander, een paar, enige
13 allemaal, alles, al
16 hen, hun, ze
17 dat, datgene, zulks
18 dito, identiek
21 haar, hun
22 alleen, enkel, fair
24 bestaanbaar, mogelijk, mogelýk
25 behalen, buit maken, halen
26 handel, zaak, aangelegenheid
27 welke, dat, die

Down

1 min of meer, erg
3 dergelijke, dusdanig, zo een
6 zelf, zelve, vanzelf
7 gelaat, het hoofd bieden, aangezicht
8 heen, over, vandoor
11 achterste, verleden, voorafgaand
12 bekwaam, capabel, kundig
13 bijna, haast, schier
14 ander, nog een, aanvullend
15 haar, hun, zijn
19 genoeg, voldoende, basta
20 afgelopen, afgewerkt, beëindigd
23 gebruikt, afgewerkt

Solutions: able, all, almost, another, any, away, business, done, enough, face, found, further, get, her, himself, its, just, last, possible, quite, same, she, side, such, them, those, used, which, will, without. (30 words). See www.websters-online-dictionary.org

Puzzle #7: Level 1 - Very Common

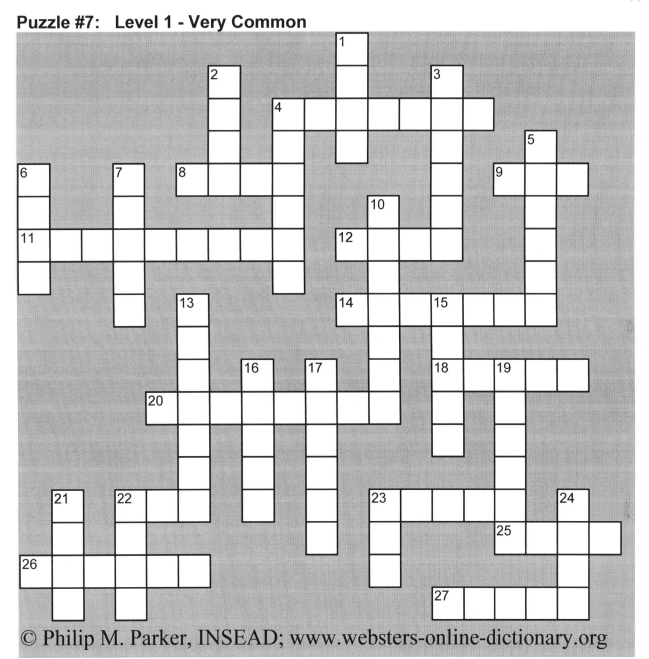

© Philip M. Parker, INSEAD; www.websters-online-dictionary.org

Across

4 miljoen
8 vilt
9 auto, wagen, automobiel
11 beschikbaar, disponibel, liquide
12 stad, wereldstad, grote stad
14 of
18 zwart
20 rente, interesseren, belang inboezemen
22 groot
23 vrouw
25 deur, portier
26 rapport, verslag, berichten
27 derde

Down

1 vol, compleet, totaal
2 naam, benaming, naamwoord
3 beleid, polis, politiek
4 moeder, bemoederen
5 vader, pater, ouder
6 lezen, aflezen, luiden
7 wit, blank
10 zonder, gespeend van, ontbloot van
13 morgen, ochtend
15 tafel, tabel, lijst
16 dood, sterfgeval, verscheiden
17 gezondheid
19 om
21 idee, begrip, benul
22 boek, bestellen, aanvragen
23 oorlog, krijg, krýg
24 weg, baan, route

Solutions: around, available, big, black, book, car, city, death, door, father, felt, full, health, idea, interest, million, morning, mother, name, policy, read, report, road, table, third, war, whether, white, without, woman. (30 words). See www.websters-online-dictionary.org

Puzzle #8: Level 1 - Very Common

© Philip M. Parker, INSEAD; www.websters-online-dictionary.org

Across

2 veranderen, kleingeld, verandering
7 geloven, houden voor, menen
8 achter, achteraan, aan het einde
9 rennen, hardlopen, hollen
10 liever, een klein beetje, ietwat
11 lichaam, carrosserie, romp
13 ver, afgelegen, veraf
14 gemeenschap, gemeente
16 vandaag, heden
17 boven, benoorden, over
19 liefde, houden van, beminnen
20 tonen, laten zien, manifesteren
21 dienst, eredienst, bediening
22 verscheidene, diverse, ettelýke
23 eens, op een keer, eenmaal
24 opvoeding, vorming, opleiding
25 tien

Down

1 kwestie, vraag, navraag
2 kind, afstammeling, jong
3 vroeg, pril, týdig
4 geest, verstand, intellect
5 onderzoek, speurwerk, speurtocht
6 steun, steunen, drager
10 rönd, ronde, afronden
12 betalen, dokken, uitbetalen
15 middel, werktuig, medium
18 samen, ineen, tezamen
19 niveau, aanleggen, peil
22 zaag, zagen
23 kantoor, bureau, bureel

Solutions: above, behind, believe, body, change, child, community, early, education, far, level, love, means, mind, office, once, pay, question, rather, research, round, run, saw, service, several, show, support, ten, today, together. (30 words). See www.websters-online-dictionary.org

Puzzle #9: Level 1 - Very Common

© Philip M. Parker, INSEAD; www.websters-online-dictionary.org

Across

5 acteren, handelen, ageren
6 kerk, bedehuis, kerkgebouw
8 zullen, gaan
10 aanzetten, aanzetten tot, activeren
12 voelen, aanvoelen, betasten
13 proberen, pogen, streven
14 laten, laten begaan, laten schieten
15 aanmaak, fabricage, fabricatie
18 wet, recht
19 file, lijn, snoer
21 werk, arbeid, arbeidsplaats
22 ooit, eenmaal, eens
25 zuiden, zuid, zuidelijk
27 naar, aan, tegen
28 belevenis, ervaring, ondervinding

Down

1 zelf, zelve
2 bestellen, bestelling, bevelen
3 als volgt, dus, zo
4 verleden, langs, verder dan
6 helder, hel, klaar
7 lastig, moeilijk, zwaar
9 tussen, onder, medio
11 leeftijd, ouderdom, leeftýd
15 beheer, bestuur, directie
16 gratis, los, onbelemmerd
17 eens, op een keer, soms
20 betekenis, voelen, aanvoelen
23 uitzicht, blikken, panorama
24 aard, aardig, lief
26 aan, op, aangaande

Solutions: act, age, among, church, clear, difficult, ever, experience, feel, free, itself, job, kind, law, let, line, making, management, order, past, sense, shall, sometimes, south, start, thus, towards, try, upon, view. (30 words). See www.websters-online-dictionary.org

Puzzle #10:   Level 1 - Very Common

© Philip M. Parker, INSEAD; www.websters-online-dictionary.org

Across

5 bestuur, bewind, bedienen
7 inderdaad, metterdaad, waarachtig
9 taal
10 geschiedenis, historie, verhaal
13 aard, soort, slag
15 lid, lidmaat, aanhanger
16 zeven
17 iets
19 sluiten, dichtdoen, dichtmaken
20 leden, aanhang
23 ander, anders, langer
26 lucht, aria, wýsje
28 allicht, vast, wel
29 geheel, heel, compleet

Down

1 stem, inspraak, stemgeluid
2 noorden, noord, noordwaarts
3 afgezonderd, los, afzonderlýk
4 voornaamste
6 kruiselings, over, dwars door
8 zich bekommeren, zorgen, behartiging
11 sterk, krachtig, straf
12 gisteren, van gisteren
14 daarom, dus, ergo
18 afname
19 gewis, stellig, vast
21 behouden, bergen, bewaken
22 effectief, reëel, daadwerkelýk
24 leven, resideren, huizen
25 klasse, klas, stand
27 het hof maken, scharrelen, binnenplaats

Solutions: across, actually, air, anything, care, certain, class, close, control, court, else, following, history, keep, language, live, main, member, north, particular, probably, real, seven, sort, strong, taking, therefore, voice, whole, yesterday. (30 words). See www.websters-online-dictionary.org

Puzzle #11: Level 1 - Somewhat Common

© Philip M. Parker, INSEAD; www.websters-online-dictionary.org

Across

5 cursus, koers, leergang
6 vragen, aanvragen, inroepen
7 waarde, gehalte, duurte
8 acht
13 spelen, toneelstuk, bespelen
14 maand
15 autoriteit, gezag, gezaghebber
18 kosten, onkosten, kostprýs
19 vriend, vriendin
20 weinig
21 iemand, een of ander, een of andere
22 tegenwoordig, cadeau, actueel
25 woord, bewoording
26 bereik, draagkracht, draagwýdte
27 vergadering, zitting, samenkomst
28 muziek

Down

1 kwaliteit, eigenschap, allooi
2 bewegen, verplaatsen, ontroeren
3 prijs, prýs
4 podium, etappe, bestuur
9 grond, aarde, bodem
10 arm, beklagenswaardig, slecht
11 notulen, bekeuring, protocol
12 papier, document, akte
16 honderd
17 twintig
19 voedsel, eten, voeding
22 ouders, ouderpaar
23 stad, stadje, plaats
24 vrouw, echtgenote, gemalin

Solutions: ask, authority, cost, course, eight, few, food, friend, ground, hundred, meeting, minutes, month, move, music, paper, parents, play, poor, present, price, quality, range, someone, stage, town, twenty, value, wife, word. (30 words). See www.websters-online-dictionary.org

Puzzle #12: Level 1 - Somewhat Common

© Philip M. Parker, INSEAD; www.websters-online-dictionary.org

Across

1 draaien, anders maken, kantelen
3 weggaan, verlaten, vertrekken
6 belasting, aanslaan, belasten
9 behelzen, inhouden, bevatten
11 kavel, perceel, partij
12 handel, handelen, ambacht
14 rusten, afval, rommel
15 ongehuwd, ongetrouwd, alleenstaande
19 uitgeven, emitteren, uitvaardigen
20 toekomst, aankomend, beginnend
21 buiten, buitenwaarts, daarbuiten
22 benodigd, nodig, van node
25 brengen, aandragen, bezorgen
26 doorgaans, gewoonlijk, gemeenlýk

Down

2 vereniging, unie
4 verschillend, menigvoudig, menigvuldig
5 wiens, van wie, wier
6 juist, gegrond, waar
7 aangelegenheid, affaire, materie
8 oefenen, aanwenden, doorvoeren
10 comité
13 verstaan, begrijpen, beseffen
14 gedenken, onthouden, zich herinneren
15 straat
16 meisje, meid
17 eeuw
18 vooral, inzonderheid, in het býzonder
20 buitenlands, uitheems, vreemd
23 gauw, alras, binnenkort
24 equipe, ploeg

Solutions: bring, century, committee, especially, foreign, future, girl, include, issue, leave, lot, matter, necessary, outside, practice, remember, rest, single, soon, street, tax, team, trade, true, turn, understand, union, usually, various, whose. (30 words). See www.websters-online-dictionary.org

Puzzle #13: Level 1 - Somewhat Common

© Philip M. Parker, INSEAD; www.websters-online-dictionary.org

Across

1 gewis, stellig, vast
4 zelf, zelve, vanzelf
6 rol
12 algemeen, gewoon, gemeenschappelýk
14 horen, vernemen, verstaan
15 bepaling, conditie, voorwaarde
18 fris, luchtig, onbedorven
20 vermeerderen, aangroei, aangroeien
22 meneer
23 verstand, oorzaak, rede
24 verenigd
25 beslissing, besluit, uitspraak
27 helder, klaar, duidelýk
28 oosten, oriënt, oost
29 bepaald, vast, zeker

Down

2 evenredigheid, proportie, verhouding
3 besloten, particulier, onderhands
5 overkomen, lijken, voorkomen
7 grondstof, materiaal, materieel
8 afknotten, topje, knotten
9 kennis, bekendheid, kunde
10 verleden, voorafgaand, voorgaand
11 ziekenhuis, gasthuis, hospitaal
13 kort, kortstondig
16 allemaal, alles
17 wel, echt, inderdaad
19 afkomstig
21 noemen, roepen, benoemen
22 soortgelijk, eender, gelijksoortig
26 aanstaand, eerstvolgend, komend

Solutions: call, certainly, clearly, coming, common, data, decision, east, everything, former, hear, herself, hospital, increase, indeed, knowledge, near, private, rate, reason, recent, role, seem, short, similar, sir, sure, terms, top, united. (30 words). See www.websters-online-dictionary.org

Puzzle #14: Level 1 - Somewhat Common

© Philip M. Parker, INSEAD; www.websters-online-dictionary.org

Across

1 druk, pressie, aandrang
4 muur, wand, beschot
8 vis, vissen
10 brief, epistel, zendbrief
11 bevolking, populatie, zielental
16 rood, blos, blozend
17 milieu, omgeving, medium
19 praten, spreken
22 groei, wasdom, aangroei
25 onderwerp, apropos, stof
27 dorp, plaats
28 uur
29 zee, maritiem
30 slecht, beroerd, kwaad

Down

2 risico, kans lopen, riskeren
3 grootte, omvang, bestek
5 rekening, afrekening, conto
6 verloren, vervlogen, kwijt
7 olie
9 hart
12 kunst
13 negen
14 venster, raam, loket
15 eenheid
18 licht, aansteken, aanmaken
20 spel, match, wild
21 wetenschap
23 haar, haren, haardos
24 lood, leiden, geleiden
26 bloed

Solutions: account, art, bad, blood, environment, fish, game, growth, hair, heart, hour, lead, letter, light, lost, nine, oil, population, pressure, red, risk, science, sea, size, subject, talk, unit, village, wall, window. (30 words). See www.websters-online-dictionary.org

Puzzle #15: Level 1 - Somewhat Common

© Philip M. Parker, INSEAD; www.websters-online-dictionary.org

Across

1 verlies, deficit, nadeel
3 kracht, forceren, sterkte
4 fout, onjuist, verkeerd
6 dadel, datum, dagtekening
8 snavel, bek, biljet
10 gelukkig, verheugd, zegenrýk
12 verhaal, etage, geschiedenis
14 pers, aandrukken, drukken
16 binnen, in, binnenin
18 beweging, slag, zet
19 bezoek, bezoeken, opzoeken
22 ontmoeten, samenkomen, tegenkomen
25 echtgenoot, man, gemaal
27 aandacht, attentie, acht
28 avond, avondje

Down

2 zekerheid, onderpand, pand
3 boete, beboeten, fraai
5 nieuws, nieuwigheid, nieuwtje
7 winkel, zaak, winkelen
8 kopen, aankopen, aanschaffen
9 laat, vergevorderd
11 alstublieft, bevallen, alsjeblieft
13 verschil, onderscheid
15 zoon
17 volledig, compleet, completeren
20 bedanken, danken, dank betuigen
21 bedrag, aantal, getal
23 vuur, brand, ontslaan
24 kopje, kop
26 koning, heer, dam

Solutions: amount, attention, bill, buy, complete, cup, date, difference, evening, fine, fire, force, happy, husband, inside, king, late, loss, meet, movement, news, please, press, security, shop, son, story, thank, visit, wrong. (30 words). See www.websters-online-dictionary.org

Puzzle #16:   Level 1 - Common

© Philip M. Parker, INSEAD; www.websters-online-dictionary.org

Across

3 waarde, gehalte, duurte
7 duizend
9 aandeel, delen, actie
11 tuin, hof
12 ruimte, bestek, speling
14 laag, gemeen, infaam
15 knippen, snijden, maaien
16 lijst, uitlisten, cedel
17 antwoorden, antwoord,
   antwoorden op

21 voorbeeld, toonbeeld
24 terugkeren, teruggeven,
   terugkeer
25 beetje, beting, baard
26 verdieping, vloer, etage
27 aangenaam, leuk, aardig
29 behandeling, kuur,
   hantering

Down

1 schrijven, componeren,
  maken

2 houden, ruim, vasthouden
4 poging, pogen, proberen
5 roos, roze
6 eigendom, bezitting,
  landgoed
8 ernstig, erg, voornaam
10 veld, akker, land
13 gauw, hard, snel
15 actueel, huidig, stroom
18 mezelf, mijzelf, mýzelf
19 beneden, onder,
   daarbeneden

20 bouw, gebouw, bouwwerk
22 misschien, wellicht,
   mogelijk
23 inkomen, inkomsten,
   ontvangst
28 dragen, brengen, voeren

Solutions: answer, attempt, below, bit, building, carry, current, cut, example, field, floor, garden, hold, income, list, low, maybe, myself, nice, property, quickly, return, rose, serious, share, space, thousand, treatment, worth, write. (30 words). See www.websters-online-dictionary.org

Puzzle #17:   Level 1 - Common

© Philip M. Parker, INSEAD; www.websters-online-dictionary.org

Across

3 stijl, trant
5 langs
9 plank, aanklampen, bord
10 plaat, registreren, discus
11 leger, heerschaar, legermacht
12 bloei, geluk, voorspoed
14 koppelen, echtelieden, echtpaar
15 verleden, voorgaand, vorig
18 kleur, kleuren, verven
20 dood, doods, overleden
21 haast, schier, welhaast
22 gebeurtenis, evenement, incident
25 onlangs, kort geleden, de laatste týd
27 familiebetrekking, verwantschap
28 betekenisvol, veelbetekenend, veelzeggend

Down

1 precies, accuraat, exact
2 aanvaller, voorspeler
4 dwars door
6 kruiden, op smaak brengen, seizoen
7 opleveren, afwerpen, opbrengen
8 beschuldiging, aanklacht, tenlastelegging
9 jongen, knaap, bediende
13 geschikt, gepast, passend
15 afbeelding, beeld, prent
16 klinken, gaan, geluid
17 staan, huisje, keet
19 afspraak, akkoord, schikking
23 keuze, keus, keur
24 tekening, dessin, ontwerp
26 hal

Solutions: agreement, along, appropriate, army, board, boy, charge, choice, colour, couple, dead, design, event, exactly, forward, hall, nearly, picture, previous, produce, recently, record, relationship, season, significant, sound, stand, style, success, throughout. (30 words). See www.websters-online-dictionary.org

Puzzle #18: Level 1 - Common

© Philip M. Parker, INSEAD; www.websters-online-dictionary.org

Across

1 incidenteel, toevallig, gebeurtenis
5 blauwdruk, concept, ontwerp
7 blijven, logeren, oponthoud
8 per saldo, ten slotte, eindelýk
10 in weerwil van, niettegenstaande, ondanks
11 zomer
13 afdraaien, verlagen, afslaan
15 ronddelen, rondgeven, uitdelen
16 verderop, daarop, langs
21 noords, noordelýk, noordelijk
23 gebeuren, gebeurtenis, incident
26 graafschap
27 oorzaak, reden, aandoen
28 wat dan ook
29 colli, goederen

Down

2 menselijk, menselýk
3 beschouwen, overwegen, nagaan
4 goed, okee, afgesproken
6 betrokken, bewust, desbetreffend
9 benaderen, aanvliegen, naderen
11 opeens, plotseling, ineens
12 aanhouden, continueren, doorgaan
14 arbeiders, werkers, werkvolk
17 laten, laten begaan, laten schieten
18 aanspraak maken op, aanspraak, claimen
19 gewrocht, opbrengst, voortbrengsel
20 medium, middel, remedie
22 menen, stellen, vermoeden
24 reglement, statuut
25 begeren, trek hebben in, verkiezen

Solutions: allow, approach, beyond, cause, chance, claim, concerned, consider, continue, county, deal, despite, finally, goods, human, lower, northern, okay, opportunity, product, resources, rules, scheme, stay, suddenly, summer, suppose, whatever, wish, workers. (30 words). See www.websters-online-dictionary.org

Puzzle #19: Level 1 - Common

© Philip M. Parker, INSEAD; www.websters-online-dictionary.org

Across

3 blýkbaar, duidelýk, klaarblýkelýk
4 schriftelijk, geschreven
6 goud, gouden, gulden
7 licht, vlot, gemakkelijk
8 leraar, instructeur, lerares
14 bewust, welbewust
15 tenzij, tenzý
17 doorgaans, in het algemeen, over het algemeen
18 situatie, stand, stand van zaken
21 evenmin, noch
22 er uitzien, opdagen, opdraven
23 gewicht, zwaarte, wicht
25 aalwaardig, aalwarig, eenvoudig
26 oeuvre, werken
27 koud, koude, verkoudheid
28 nadenkend

Down

1 koninklijk, koninklýk, vorstelýk
2 uzelf, jijzelf
5 nuttig, dienstig
6 groen
7 afhalen, te wachten staan, verwachten
9 zwaar, drukkend
10 subiet, aanstonds, dadelijk
11 blauw
12 bloedverwanten, familie, verwanten
13 mooi, knap, schoon
16 omzet
19 benaderen, aanvliegen, naderen
20 gevoel
24 beproefd

Solutions: appear, approach, aware, beautiful, blue, circumstances, cold, easy, expect, feeling, generally, gold, green, heavy, immediately, nor, obviously, relations, royal, sales, simple, teacher, thinking, tried, unless, useful, weight, works, written, yourself. (30 words). See www.websters-online-dictionary.org

Puzzle #20:   Level 1 - Common

© Philip M. Parker, INSEAD; www.websters-online-dictionary.org

Across

4 recht, direct, rechtstreeks
6 spreken, praten
7 soort
11 ster, filmster
13 winst, baat, gewin
14 rivier, stroom
15 boom
16 pond, stampen, pond sterling
17 oog, kýker
20 voorzitter, praeses, president
21 huid, vel, afstropen
23 keuken, kookgelegenheid
24 mond, bek, monding
25 hout, bos
27 brug, commandobrug
28 werkloosheid, werkeloosheid

Down

1 bruin
2 fysisch, fysiek, natuurkundig
3 nek, hals
5 voet, poot
7 bron, kwel, wel
8 duur, kostbaar, dierbaar
9 eten, bikken, gebruiken
10 zin, frase, veroordelen
11 slapen, slaap, maffen
12 regen, regenen
18 nauw, smal, eng
19 afstand, distantie, eind
22 bibliotheek, boekerij, boekhandel
26 donker, duister, somber

Solutions: bridge, brown, chairman, dark, distance, eat, expensive, eye, foot, kitchen, library, mouth, narrow, neck, physical, pound, profit, rain, river, sentence, skin, sleep, source, speak, species, star, straight, tree, unemployment, wood. (30 words). See www.websters-online-dictionary.org

Puzzle #21: Level 1 - Not Very Common

© Philip M. Parker, INSEAD; www.websters-online-dictionary.org

Across

1 begroting
5 adres, adresseren, aanklampen
7 regelmatig, geregeld, steevast
9 bal, bol, gebied
10 koffie
13 krediet, tegoed, batig
14 snelheid, spoed, vaart
15 bouwen, construeren, aanleggen
16 gevangenis, kerker, nor
18 oplossing, solutio, uitkomst
19 thee
20 paard, ros
21 breken, afbreken, rust
23 zacht, zoet, mals
25 heuvel, aanaarden
26 spoorweg, spoor
27 betekenis, bedoeling, doel

Down

1 achtergrond
2 droog, drogen, afdrogen
3 twaalf
4 bos, woud
6 glimlachen, glimlach
8 ongeval, ongeluk
11 vers, fris, luchtig
12 uitrusting, apparatuur, inrichting
14 vreemd, buitenlands, onwennig
17 vierde, kwart, vierendeel
20 heet, gloeiend, smoorheet
22 vliegtuig, vliegmachine, toestel
24 gesloten, dicht, toe

Solutions: accident, address, aircraft, background, ball, break, budget, build, closed, coffee, credit, dry, equipment, forest, fourth, fresh, hill, horse, hot, meaning, prison, railway, regular, smile, soft, solution, speed, strange, tea, twelve. (30 words). See www.websters-online-dictionary.org

Puzzle #22:   Level 1 - Not Very Common

© Philip M. Parker, INSEAD; www.websters-online-dictionary.org

Across

2 lopen, wandelen, wandeling
5 geweld, geweldpleging
7 zon, zonnebaden, zonnen
8 lidmaatschap
9 zitten, koesteren, broeden op
13 vrede
14 dochter
15 broer, broeder
16 veiligheid, zekerheid

17 geen, geen enkel, geen
   enkele
21 aanvallen, aanval, aantasten
23 zuster, zus
24 gereed, klaar, af
26 horloge, polshorloge,
   toeschouwen
27 weer, weder,
   weersomstandigheden
28 verzekering, assurantie
29 angst, vrezen, beklemming

Down

1 getrouwd, gehuwd
3 winnen, behalen, verdienen
4 krant, blad, courant
6 contant, baar
10 morgen
11 geheugen,
   computergeheugen,
   herinnering
12 waarheid, waarachtigheid

16 vierkant, plein, kwadraat
18 leeg, ledig, loos
19 lucifer, koppelen, paren
20 patroon, knippatroon,
   sjabloon
22 graad, mate, trap
25 hond

Solutions: attack, brother, cash, daughter, degree, dog, empty, fear, insurance, married, match, membership, memory, newspaper, none, pattern, peace, ready, safety, sister, sit, square, sun, tomorrow, truth, violence, walk, watch, weather, win. (30 words). See www.websters-online-dictionary.org

Puzzle #23: Level 1 - Not Very Common

© Philip M. Parker, INSEAD; www.websters-online-dictionary.org

Across

1 juist, corrigeren, verbeteren
4 boot, schuit, sloep
6 reizen, gaan, karren
9 verkiezing, keuze, keur
11 voetbal, Amerikaans voetbal
12 hel
13 luisteren, beluisteren, aanhoren
16 paar, koppel, stel
17 misdaad, misdrijf, misdrýf
20 pad, baan, paadje
23 dun, mager, schraal
24 aanraken, aanraking, aanslag
25 welkom, begroeten, verwelkomen
28 voorkant, gevel, voorzýde
29 gemiddeld, gemiddelde, doorsnee

Down

1 schoon, rein, schoonmaken
2 dertig
3 bericht, boodschap, bekendmaking
5 eigenaar
7 stilte, kalmte, rust
8 gewricht, gelid, geleding
10 cel, cachot, kerker
14 bedreiging, dreigement, dreiging
15 tak, aftakking, branche
18 meester, baas, licentiaat
19 snel, vasten, vlug
21 ziekte, aandoening, kwaal
22 stil, rustig, bedaard
26 leggen, neerleggen, vlýen
27 stemmen, stem, kiezen

Solutions: average, boat, branch, cell, clean, correct, crime, disease, election, fast, football, front, hell, joint, lay, listen, master, message, owner, pair, path, quiet, silence, thin, thirty, threat, touch, travel, vote, welcome. (30 words). See www.websters-online-dictionary.org

Puzzle #24: Level 1 - Not Very Common

© Philip M. Parker, INSEAD; www.websters-online-dictionary.org

Across

3 stevig, hecht, vast
6 kiezen, uitkiezen, uitlezen
8 stoel, zetel
9 beletten, verhinderen, belemmeren
11 evenmin, noch, geen
12 uitgeven, besteden, spenderen
13 diep, laag, zwaar
15 mannetje, mannelijk, mannelýk
16 sleutel, toets, scala
17 afbeelding, beeld, plaat
18 wachten, afhalen, te wachten staan
20 slaan, raken, houwen
21 rede, redevoering, spraak
23 sturen, doen toekomen, opsturen
24 tekenen, aanlokken, bekoren
25 verkopen, verhandelen, overdoen
26 leren, aanleren
27 gebeuren, toegaan, geschieden

Down

1 doos, boksen, doosje
2 buurt, kwart, wijk
3 veertig
4 ontvangen, aannemen, aanvaarden
5 middag, namiddag
6 hoek, accapareren, opkopen
7 schub, toonladder, aanslag
10 sterkte, kracht, macht
12 ergens, hier of daar, ergens heen
14 bescherming, auspiciën, begunstiging
19 mening, dunk, opinie
22 redden, sparen, behouden

Solutions: afternoon, box, chair, choose, corner, deep, draw, firm, forty, happen, hit, image, key, learn, male, neither, opinion, prevent, protection, quarter, receive, save, scale, sell, send, somewhere, speech, spend, strength, wait. (30 words). See www.websters-online-dictionary.org

Puzzle #25:   Level 1 - Not Very Common

© Philip M. Parker, INSEAD; www.websters-online-dictionary.org

Across

6 motor, locomotief, machine
7 niemand, geen, geen enkel
8 toegang, aanval, binnengaan
9 been, onderbeen, poot
10 kopiëren, afdruk, afschrift
11 kruisen, kruis, over elkaar slaan
13 bang, laf, lafhartig
15 vergeten, verleren, afleren
16 gevaar, onraad, nood
17 verspreiden, spreiden, afgeven
20 gebruiker
22 verliezen, opgeven, verbeuren
25 bestaan, aanzýn, existentie
26 rechter, oordelen, beoordelen
27 geboorte
28 kapitein, hopman, gezagvoerder

Down

1 gesprek, conversatie, onderhoud
2 overwinning, victorie, zege
3 beer, dragen, baissier
4 plezier, genoegen, pret
5 kasteel, burcht, slot
10 kapitaal, vermogen, hoofdstad
12 staking, slaan, werkstaking
14 verrassen, verrassing, betrappen
18 aantonen, staven, adstrueren
19 diner, middageten, middagmaal
21 koningin, vorstin, vrouw
23 vechten, kampen, het opnemen tegen
24 gewoon, gebruikelijk, algemeen
27 autobus

Solutions: access, afraid, bear, birth, bus, capital, captain, castle, conversation, copy, cross, danger, dinner, engine, existence, fight, forget, judge, leg, lose, nobody, pleasure, prove, queen, spread, strike, surprise, user, usual, victory. (30 words). See www.websters-online-dictionary.org

Puzzle #26: Level 1 - Easy

© Philip M. Parker, INSEAD; www.websters-online-dictionary.org

Across

1 uitleggen, uiteenzetten, toelichten
4 steen, aarden, van klei
6 stuk, brok, eindje
9 oppervlakte, oppervlak, topje
10 tekenen, ondertekenen, teken
11 aanvoerder, leider, baas
12 optellen, toevoegen, aanbouwen
14 bekwaamheid, vermogen, bevoegdheid
17 vertrouwen, fiducie hebben in, afgaan op
19 ontwikkelen, doen ontstaan, formeren
20 langzaam, zachtjes, zoetjes
21 recensie, bespreken, recenseren
22 noot, aantekening, biljet
23 vallen, afvallen, neervallen
24 toepassen, aanwenden, doorvoeren
25 tekst
26 stap, treden, lopen

Down

1 kant, rand, boord
2 gebrek, missen, ontberen
3 dekken, bedekken, deksel
5 gaan staan, opstaan, opgaan
7 karakter, geaardheid, aard
8 ligging
9 smid, ýzersmid, ijzersmid
13 richting, koers, leiding
15 invloed, beïnvloeden, invloed hebben op
16 dame, jonkvrouw, vrouwe
18 scheiden, afgezonderd, afscheiden
20 aanvoer, afleveren, bevoorraden
21 regel, bestuur, bewind

Solutions: ability, add, apply, character, cover, develop, direction, edge, explain, fall, influence, lack, lady, leader, note, piece, review, rise, rule, separate, sign, site, slowly, smith, step, stone, supply, surface, text, trust. (30 words). See www.websters-online-dictionary.org

Puzzle #27: Level 1 - Easy

© Philip M. Parker, INSEAD; www.websters-online-dictionary.org

Across

3 baan, afdruk, parcours
6 moord, moorden, vermoorden
7 geest, animo, drukte
10 tweemaal, twee keer
11 veilig, behouden, geborgen
15 desondanks, niettemin, toch
17 wijn
18 wel, zeker, immers
19 kaart, kaarden
20 verbeteren, veredelen
21 bron, lente, ontspringen
22 doel, doelstelling, honk
26 vooruitgang, beterschap, verbetering
27 schade, beschadiging, schaden
28 dubbel, duplex, tweeledig
29 eisen, vereisen, behoeven

Down

1 kritiek, hachelýk, hachelijk
2 pijn, wee, zeer
4 geschikt, gepast, keurig
5 bril, zetel, zitplaats
8 scène, tableau, tafereel
9 meten, maat, afmeten
12 archief
13 vormen, aangaan, formeren
14 vermogend, gefortuneerd, rijk
16 gerechtigheid, rechtvaardigheid, Justitia
20 onbestaanbaar, onmogelijk, uitgesloten
23 kapot, gebroken, defect
24 manier, trant, wýze
25 ras, geslacht, racen

Solutions: broken, card, critical, damage, double, goal, impossible, improve, justice, manner, measure, murder, nevertheless, pain, progress, race, records, require, rich, safe, scene, seat, shape, spirit, spring, suitable, surely, track, twice, wine. (30 words). See www.websters-online-dictionary.org

Puzzle #28:   Level 1 - Easy

© Philip M. Parker, INSEAD; www.websters-online-dictionary.org

Across

3 betaling, afbetaling, uitbetaling
5 dommekracht, krik, boer
6 loslaten, lossen, tappen
9 bronst, hitte, gloed
10 leidend, toonaangevend, toongevend
12 slaan, kloppen, afranselen
14 minst
15 verpakken, inpakken, pakken
17 geloof, overtuiging
19 doel, doelstelling, doelwit
20 bekronen, kronen, kroon
22 breed, wýd, wijd
24 beschrijving, schildering, tafereel
25 dank, bedankt, dankzegging
26 nadruk, klem
27 bestuurder, chauffeur, conducteur

Down

1 taak, opgave, karwei
2 onderzoek, examen, keuring
4 sterven, doodgaan, dobbelsteen
7 aangifte, declaratie, uitspraak
8 adem
11 verantwoordelijk, toerekenbaar, aansprakelijk
13 betitelen, titel, titelen
16 expositie, tentoonstelling
18 opvolgen, volgen, handelen volgens
19 behoeden, beschermen, beschutten
20 steenkool, kool
21 alternatief, keuze, keus
22 bodem, achtergrond, grond
23 gebeuren, voorkomen, voorvallen

Solutions: beat, belief, bottom, breath, broad, coal, crown, description, die, driver, emphasis, exhibition, follow, heat, investigation, jack, leading, least, occur, option, package, payment, protect, purpose, release, responsible, statement, task, thanks, title. (30 words). See www.websters-online-dictionary.org

Puzzle #29: Level 1 - Easy

© Philip M. Parker, INSEAD; www.websters-online-dictionary.org

Across

1 geslacht, sexe, kunne
3 bereiken, behalen, inhalen
6 praktisch, reëel, daadwerkelýk
7 amper, lastig, ternauwernood
9 echec, fiasco, flop
11 opslaan, voorraad, aandeel
12 moeite, poging
14 een of ander, iemand, een of andere
18 begrensd, beperkt, eindig
20 ontroerend, roerend, treffend
25 schriftuur, schrift, geschrift
26 overeenstemmen, afspreken, overeenkomen
27 creëren, maken, scheppen
28 bond, liga, verbond
30 in plaats daarvan

Down

2 gezegde, uitdrukking, betuiging
4 centrale, omruiling, ruil
5 carrière, loopbaan
8 plicht, verplichting
10 verbinden, lid worden, samenbrengen
13 inning, verzameling, collectie
15 apert, evident, uitgesproken
16 bezwaar, storing, strubbeling
17 oefenen, drillen, oefening
19 echt, echtverbintenis, huwelijk
21 gigantisch, reusachtig, kolossaal
22 bericht, kennisgeving, merken
23 belang, aangaan, bekommernis
24 verkoop, vervreemding, afname
29 hulp, assistent, assistentie

Solutions: agree, aid, career, collection, concern, create, duty, effort, exchange, exercise, expression, failure, hardly, huge, instead, join, league, limited, marriage, moving, notice, obvious, practical, reach, sale, sex, somebody, stock, trouble, writing. (30 words). See www.websters-online-dictionary.org

Puzzle #30: Level 1 - Easy

© Philip M. Parker, INSEAD; www.websters-online-dictionary.org

Across

1 rustdag, snipperdag, vakantiedag
6 bescheiden, gematigd, matig
9 binnenlands, inheems, inlands
11 boerderij, bezitting, goed
13 plukken, afkluiven, knabbelen
15 misschien, soms, wellicht
16 wiegen, balanceren, doen schommelen
20 bergpas, inhalen, aangeven
24 richtmiddel, vizier, zoeker
25 begrip, betrekking, omgang
26 aanpassen, passen, aanval
27 aanvaard, geaccepteerd, erkend
28 beslissen, besluiten, uitmaken

Down

2 belangstellend, geïnteresseerd
3 begrip, opvatting
4 keurig, voegzaam, juist
5 eerder, daarvoor, vooraan
7 beest, dier, dierlijk
8 genieten, genieten van, zich verheugen
10 kermis, bazaar, markt
11 befaamd, beroemd, alom bekend
12 boers, landelijk, landelýk
14 fiducie, geloof, vertrouwen
15 machtig
17 kabinet, etagère, kast
18 gevecht, slag, veldslag
19 koninkrijk, rijk, koninkrýk
21 dingen, goedje, opzetten
22 circulatie, omloop, roulatie
23 berechting, probeersel, proefstuk

Solutions: accepted, animal, battle, cabinet, concept, confidence, decide, domestic, enjoy, fair, famous, farm, fit, holiday, interested, kingdom, pass, pick, possibly, powerful, previously, proper, reasonable, rock, rural, sight, stuff, traffic, trial, understanding. (30 words). See www.websters-online-dictionary.org

Puzzle #31: Level 1 - Fairly Easy

© Philip M. Parker, INSEAD; www.websters-online-dictionary.org

Across

2 uitdaging, tarten, trotseren
4 zich bekommeren, zorgen, bedroeven
5 fokken, opfokken, ophalen
6 afnemer, cliënt, klant
10 houding
11 bespreken, bepraten, discuteren
14 uitzonderen, behalve, buiten
17 glanzend, helder, briljant
21 vaak, gedurig, menigmaal
23 afboeken, opnemen, overplaatsen
24 vrouwtje, moer, vrouw
26 elders, ergens anders, naar elders
27 landgoed, bezitting, goed
28 montage, vergadering, assemblee
29 bedenken, zich verbeelden, zich voorstellen
30 klein, minuscuul, minuskuul

Down

1 wetenschappelijk
3 kans, mogelijkheid, mogelýkheid
7 bestaan
8 gedurende, onder, staande
9 afzoeken, doorzoeken, fouilleren
12 aardig, keurig, lief
13 naast, aan, behalve
15 naar behoren, netjes, passend
16 beslist, absoluut, ten enenmale
18 gelaatstrek, karaktertrek, trek
19 bedekt, bezaaid
20 doel, doelwit, doelstelling
22 montuur, vatting
25 stedelijk, stads

Solutions: absolutely, assembly, attitude, beside, bright, challenge, client, covered, discuss, elsewhere, estate, except, exist, feature, female, frequently, imagine, possibility, pretty, properly, raise, scientific, search, setting, target, tiny, transfer, urban, whilst, worry. (30 words). See www.websters-online-dictionary.org

Puzzle #32: Level 1 - Fairly Easy

© Philip M. Parker, INSEAD; www.websters-online-dictionary.org

Across

1 traktaat, verdrag, verhandeling
3 geloof, vertrouwen, fiducie
5 aanvoerder, baas, chef
6 kans, mogelijkheid, mogelýkheid
9 bezet, bezig, druk
11 slechter
12 begeerte, begeren, verlangen
14 concurrentie, mededinging, concours
15 geboren
17 pré, voordeel, baat
18 kleding, kleren, goed
22 afgesproken, akkoord, in orde
23 wetgeving
24 meerderheid, meerderjarigheid, gros
25 inzonderheid, in het býzonder, voornamelýk
26 ouder
27 ruim, breed, breedvoerig

Down

2 aanwending, toepassing
3 geheel, heel, ten volle
4 vijftig, výftig
5 geruim, aanzienlijk, aanmerkelýk
7 keer, maal, aanleiding
8 tegenwoordig
10 toerekenbaarheid, verantwoordelijkheid, verantwoording
13 aardig, tamelýk, tamelijk
14 voorzichtig, behoedzaam, zorgvuldig
16 resten, resteren, toeven
19 eisen, opeisen, rekenen
20 allicht, met gemak, gemakkelýk
21 oprit, chaufferen, opjagen

Solutions: agreed, benefit, born, busy, careful, chief, clothes, competition, considerable, currently, demand, desire, drive, easily, employment, faith, fifty, fully, legislation, mainly, majority, occasion, older, possibility, relatively, remain, responsibility, treaty, wide, worse. (30 words).
See www.websters-online-dictionary.org

Puzzle #33: Level 1 - Fairly Easy

© Philip M. Parker, INSEAD; www.websters-online-dictionary.org

Across

2 ampel, gedetailleerd, in het klein
6 eliminatie, ontwikkeling
7 bezwaar, strubbeling, zwarigheid
10 pa, pappa, pappie
11 beeldig, aangenaam, beeldschoon
13 aanslag, belastingaanslag
15 oosters, oostelýk, oostelijk
17 duur, geacht, gezien
19 bereiken, bewerkstelligen, doorvoeren
20 gewoon
22 allemachtig, uitermate, extreem
23 benodigdheden
25 bloedig, bloedend
26 gepast, passend, geschikt

Down

1 bedwingen, beteugelen, betomen
2 dubben, in dubio staan, twýfel
3 even, evenzeer, eveneens
4 verlichting, opluchting, verademing
5 afgelopen, afgewerkt, beëindigd
8 fonds, kapitaal, geldkist
9 gedurende, onder, staande
12 in toenemende mate, meer en meer, steeds meer
13 pré, voordeel, baat
14 genoeg, voldoende
15 geheel, heel, totaliter
16 vlotheid, vrijheid, vrýdom
18 gevogelte, vogelstand, vogelwereld
19 daarvoor, eerder, vooraan
21 effectief, reëel, daadwerkelýk
24 aanleggen, doel, doelstelling

Solutions: achieve, actual, advantage, ahead, aim, assessment, becoming, birds, bloody, check, dad, dear, detailed, difficulty, doubt, eastern, entirely, equally, extremely, finished, freedom, fund, increasingly, lovely, materials, ordinary, output, relief, sufficient, whereas. (30 words).
See www.websters-online-dictionary.org

Puzzle #34:   Level 1 - Fairly Easy

Across

4 gevaarlijk, link, gevaarlýk
5 het mijne, mijn, de mýne
10 inrichten, oprichten, stichten
13 aangedaan, aangegrepen, aanstellerig
14 aardig, tamelýk, tamelijk
15 daags, dagelijks, alledaags
16 bediening
18 zuidelijk
20 opzoeken, snorren, zoeken
21 argumenteren, behouden, betogen
22 aanblik, aanzien, uiterlijk
25 vannacht
27 bovenste
28 deels, ten dele
29 alleen, enig, louter

Down

1 voorzichtig, zachtjes
2 beraad, overweging, ruggespraak
3 toegeven
6 vertoonbaar, aanwýsbaar
7 vijftien, výftien
8 lezen
9 ruim
11 pré, voordeel, baat
12 dieren
15 paraderen, pralen, pronken
17 prompt, ogenblikkelijk
19 binnengaan, binnenkomen, binnenlopen
23 aanmelding, Ingang, invoer
24 eender, egaal, evenaren
26 gebeuren, groeien, toegaan

Solutions: advantage, affected, alone, animals, apparent, appearance, carefully, consideration, daily, dangerous, display, enter, entry, equal, establish, fairly, fifteen, grant, grow, immediate, maintain, mine, partly, reading, seek, southern, tonight, upper, waiting, widely. (30 words). See www.websters-online-dictionary.org

© Philip M. Parker, INSEAD; www.websters-online-dictionary.org

Puzzle #35: Level 1 - Fairly Easy

© Philip M. Parker, INSEAD; www.websters-online-dictionary.org

Across

5 bemoeienis, geploeter, gesjouw
7 zuurstof, de zuurstof
8 verkocht
9 neus, de neus
14 alfabet, basisbeginselen, eerste beginselen
15 zout, zouten
18 nat, nat maken
19 zilver, zilveren
20 meer, plas, waterplas
21 fase, kwartier, schýngestalte
22 jaarlijks
25 bijdrage, býdrage
26 vleugel, vlerk, aanschieten
27 iedereen
29 muis

Down

1 belastend, geladen met
2 uitgegeven
3 schot
4 lekker, aanlokkelýk, aanlokkelijk
6 bloem
10 eender, egaal, evenaren
11 geel
12 toenemend
13 totaal, algeheel, geheel
16 blýkbaar, blijkbaar, duidelýk
17 leren
19 spreker
23 terrein
24 zoet, oppassend, snoep
28 ei

Solutions: annual, apparently, attractive, carrying, contribution, efforts, egg, elements, equal, everybody, flower, grounds, increasing, lake, learning, mouse, nose, overall, oxygen, phase, salt, shot, silver, sold, speaker, spent, sweet, wet, wing, yellow. (30 words). See www.websters-online-dictionary.org

Puzzle #36:   Level 1 - Not So Easy

© Philip M. Parker, INSEAD; www.websters-online-dictionary.org

Across

1 roken, rook, smoken
3 vliegen, vlieg, aanvliegen
7 katoen, katoenen weefsel, ruwe katoen
10 vlucht, vliegtocht
11 trekken, rukken, ruk
14 roze, anjer, rose
15 koolstof
16 as, es
19 been, bot, knok
20 hypotheek
22 fout, dwaling, vergissing
23 schouder, berm
24 fenomeen, verschijnsel, verschýnsel
26 oor, aar

Down

2 fout, vergissing, abuis
4 blad, vel
5 acuut, scherp, helder
6 maag, de maag
8 melk, melken
9 hoeveelheid, grootheid, boel
12 deksel, bedekking, kaft
13 scherm, beeldscherm, schut
17 zand, zanderig, zandig
18 vlees
19 borst, boezem, mam
21 zuur, doordringend, schel
22 burgemeester, burgervader, dorpsburgemeester
23 schaap
24 duwen, aanduwen, dringen
25 kaart, landkaart

Solutions: acid, acute, ash, bone, breast, carbon, cotton, ear, error, flight, fly, leaf, lid, map, mayor, meat, milk, mistake, mortgage, phenomenon, pink, pull, push, quantity, sand, screen, sheep, shoulder, smoke, stomach. (30 words). See www.websters-online-dictionary.org

Puzzle #37: Level 1 - Not So Easy

© Philip M. Parker, INSEAD; www.websters-online-dictionary.org

Across

2 vlag, dundoek, vaan
5 oraal, mondeling
6 reageren, antwoorden, beantwoorden
8 lever
9 vergunning, licentie, vrýbrief
10 zwak, licht
11 hallo, hoi, dag
12 boer, landbouwer, agrariër
17 konijn, konýn
18 sneeuw, sneeuwen
19 lachen, lach
21 naald, kompasnaald, speld
23 woordenboek
26 boter, beboteren
27 schedel
28 maan
29 knie, de knie

Down

1 fles, bottelen, aftappen
2 brandstof, stookmateriaal
3 middernacht
4 bord, plaat, fotografische plaat
7 paleis
13 verwant, aanverwant
14 verplichting, plicht
15 zingen, bezingen
16 honing
20 blok, blokkeren, vastzetten
22 dosis
24 wolk, benevelen, verdoezelen
25 eend, eendebout

Solutions: block, bottle, butter, cloud, dictionary, dose, duck, farmer, flag, fuel, hello, honey, knee, laugh, licence, liver, midnight, moon, needle, obligation, oral, palace, plate, rabbit, related, respond, sing, skull, snow, weak. (30 words). See www.websters-online-dictionary.org

Puzzle #38: Level 1 - Not So Easy

© Philip M. Parker, INSEAD; www.websters-online-dictionary.org

Across

5 douche, stortbad, douchen
7 verwarming
9 broek, lange broek, pantalon
12 advocaat, jurist, pleitbezorger
13 vet, dik, gezet
14 vinger, vingeren, peuteren
17 top, piek, neus
18 ritme
19 branden, aanbranden, aanflitsen
20 orkest, band, muziekkorps
22 laars
23 wassen, de was doen, uitwassen
24 luchthaven, vliegveld, vlieghaven
25 nul, nihil
27 beroep, broodwinning, bedrýf
28 post, posterýen

Down

1 stof, afstoffen, stoffen
2 bemanning, scheepsbemanning
3 kaas
4 mes
6 gastheer, herbergier, logementhouder
8 huurder
10 herhalen, nazeggen, doornemen
11 werknemer, employé, personeelslid
15 grootmoeder, oma
16 afdrukken, afdruk, bedrukken
17 glad, vlak, effen
19 badkamer, badhuis, badplaats
21 zool, enkel, schoenzool
26 ziel, geest, gemoed

Solutions: airport, bathroom, boot, burn, cheese, crew, dust, employee, fat, finger, grandmother, heating, host, knife, lawyer, mail, orchestra, print, profession, repeat, rhythm, shower, smooth, sole, soul, summit, tenant, trousers, wash, zero. (30 words). See www.websters-online-dictionary.org

Puzzle #39: Level 1 - Not So Easy

© Philip M. Parker, INSEAD; www.websters-online-dictionary.org

Across

2 autosnelweg, snelweg, autobaan
5 duim
6 hersenen, brein, hersens
8 negentig
11 citroen
14 roeren, bewegen, ontroeren
15 afval, verdoen, verspillen
17 voorhoofd
19 scherp, kruis, doordringend
22 onbekend
23 blad, laken, vel
24 varken, zwýn, zwijn
26 liggen, leugen, liegen
27 bol, gebied, omgeving
28 lawaai, herrie, rumoer
29 jeugd, jeugdigheid, borst

Down

1 proeven, smaak, smaken
3 indruk, effect, impressie
4 bisschop, loper
7 aansteker, vuurmaker, lichter
9 bestand, dossier, aktentas
10 zenuw
12 menigte, drom, hoop
13 mand, korf, ben
16 eik, eikehouten, eiken
18 auteur, bedenker, schepper
20 aankoop, koop, kopen
21 koper, koperen, roodkoperen
25 lied, gezang, zang
27 sluiten, dichtdoen, dichtmaken

Solutions: author, basket, bishop, brain, copper, crowd, file, forehead, impression, lemon, lie, lighter, motorway, nerve, ninety, noise, oak, pig, purchase, sharp, sheet, shut, song, sphere, stir, taste, thumb, unknown, waste, youth. (30 words). See www.websters-online-dictionary.org

Puzzle #40: Level 1 - Not So Easy

© Philip M. Parker, INSEAD; www.websters-online-dictionary.org

Across

3 kanker, Kreeft
4 mijl, mýl
6 huilen, schreien, kreet
7 baai, inham, kreek
9 kolom, pilaar, zuil
10 schilderen, verf, verven
11 hoogte, stand
13 suiker
16 trots, fier, prat
20 berg
22 gooien, werpen, keilen
24 molen, metaalfabriek
25 verjaardag, verjaring, geboortedag
26 verbinding, aansluiting, samenhang
27 armoede, gebrek

Down

1 vertraging, oponthoud, uitstellen
2 bier
4 mengsel, mengeling, mengelmoes
5 ketting, keten
7 bad, badkuip
8 haven, poort, aansluitpoort
12 uitzetting, expansie
14 goedkeuring, acclamatie, toejuiching
15 klok, uurwerk
17 ruw, onbewerkt, bot
18 ingang, toegang, entree
19 elf
21 verpleegster, verpleegkundige, verpleger
23 dik, dicht, gebonden
25 vogel, grootvaderlýk

Solutions: approval, bath, bay, beer, bird, birthday, cancer, chain, clock, column, connection, cry, delay, eleven, entrance, expansion, height, mile, mill, mixture, mountain, nurse, paint, port, poverty, proud, rough, sugar, thick, throw. (30 words). See www.websters-online-dictionary.org

Puzzle #41:   Level 1 - A Bit Tough

© Philip M. Parker, INSEAD; www.websters-online-dictionary.org

Across

1 straf, bestraffing, strafoefening
3 benzine
5 douane
7 wiel, rad
8 appel
9 held, heros
13 klassiek, klassikaal
15 zestien
16 koper, afnemer, klant
18 kussen, zoenen, kus
19 gebed
21 gast, introducé, logé
23 staart, schaduwen
25 binden, das, stropdas
27 zwanger, drachtig, in verwachting
28 les
29 gitaar

Down

2 modus, manier, trant
3 bezit, bezitting, eigendom
4 bril
6 mengen, mixen, vermengen
10 beroep, ambacht, bezetting
11 getuige, aanwezig zýn, aanwezig zýn bý
12 vlees, vruchtvlees
14 springen, sprong
17 vervanging, aflossing, aanvulling
20 wortel, aanslaan, wortel schieten
22 vloot
24 piek, top, neus
26 blik, blikje, blikken

Solutions: apple, buyer, classic, customs, fleet, flesh, glasses, guest, guitar, hero, jump, kiss, lesson, mix, mode, occupation, peak, petrol, possession, prayer, pregnant, punishment, replacement, root, sixteen, tail, tie, tin, wheel, witness. (30 words). See www.websters-online-dictionary.org

Puzzle #42:   Level 1 - A Bit Tough

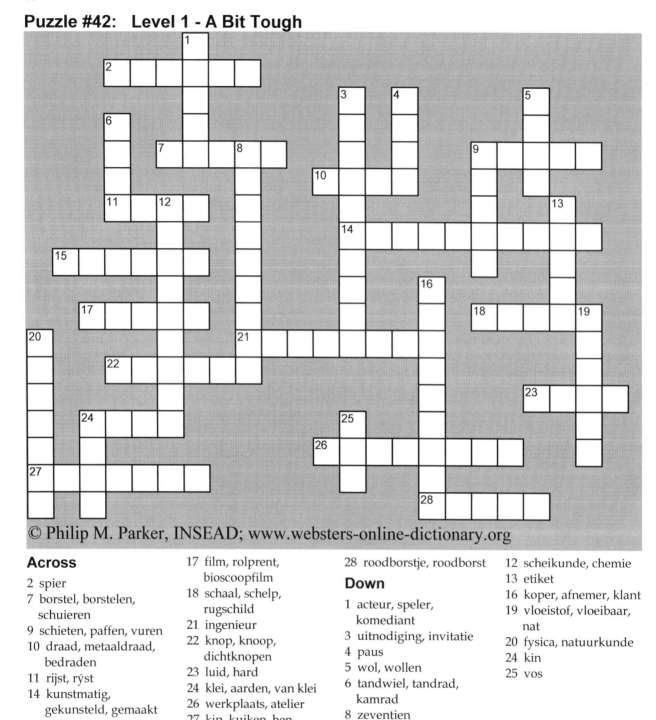

© Philip M. Parker, INSEAD; www.websters-online-dictionary.org

Across

2 spier
7 borstel, borstelen, schuieren
9 schieten, paffen, vuren
10 draad, metaaldraad, bedraden
11 rijst, rýst
14 kunstmatig, gekunsteld, gemaakt
15 bevroren
17 film, rolprent, bioscoopfilm
18 schaal, schelp, rugschild
21 ingenieur
22 knop, knoop, dichtknopen
23 luid, hard
24 klei, aarden, van klei
26 werkplaats, atelier
27 kip, kuiken, hen
28 roodborstje, roodborst

Down

1 acteur, speler, komediant
3 uitnodiging, invitatie
4 paus
5 wol, wollen
6 tandwiel, tandrad, kamrad
8 zeventien
9 strook, band, reep
12 scheikunde, chemie
13 etiket
16 koper, afnemer, klant
19 vloeistof, vloeibaar, nat
20 fysica, natuurkunde
24 kin
25 vos

Solutions: actor, artificial, brush, button, chemistry, chicken, chin, clay, engineer, fox, frozen, gear, invitation, label, liquid, loud, movie, muscle, physics, pope, purchaser, rice, robin, seventeen, shell, shoot, strip, wire, wool, workshop. (30 words).
See www.websters-online-dictionary.org

Puzzle #43: Level 1 - A Bit Tough

© Philip M. Parker, INSEAD; www.websters-online-dictionary.org

Across

1 boog, boeg, buigen
4 veiling, auctie, afslag
6 stier, bul
7 achtste
10 kraag, boord, halsboord
11 soep
12 stro
14 uitgeven, emitteren, openbaar maken
15 lenen, uitlenen, voorschieten
17 elektronica
19 lam, lamsvlees
21 beton, concreet
22 schap, plank, legbord
23 engel, vrouwelýke engel
24 agressie, aanval, offensief
26 zwemmen, drýven
27 vrachtauto, vrachtwagen, truck

Down

1 gal
2 accu, batterij, accumulator
3 toerisme
5 messing, geelkoper, geelkoperen
6 rundvlees, klapstuk
8 zalm
9 kwalificatie, bevoegdheid
10 kabel, tros
13 aanbeveling, recommandatie, nominatie
16 vertaling, translatie, overzetting
18 laan, dreef
20 buigen, bocht, ombuigen
25 rok, vrouwenrok

Solutions: aggression, angel, auction, avenue, battery, beef, bend, bile, bow, brass, bull, cable, collar, concrete, eighth, electronics, lamb, lend, lorry, publish, qualification, recommendation, salmon, shelf, skirt, soup, straw, swim, tourism, translation. (30 words).
See www.websters-online-dictionary.org

Puzzle #44:   Level 1 - A Bit Tough

© Philip M. Parker, INSEAD; www.websters-online-dictionary.org

Across

4 vermelden, gewag maken van, noemen
6 schild, bord, bordje
7 schip, verzenden, afzenden
9 gebit
11 negentien
12 pomp, pompen, oppompen
16 meel, bloem, bakmeel
17 kuil, gat, gracht
18 as, spil
20 ademen, ademhalen
21 pols, handwortel
23 poeder, poederen, bepoederen
26 helaas, jammer genoeg, jammer
27 snel, gauw, gezwind
28 deken, dek, de deken

Down

1 bevestigen, bepalen, fixeren
2 ridder, paard
3 stam, stengel, boomstam
5 tiende, tiende deel
6 handtekening, ondertekening
8 heide, heideveld, dophei
10 toelichting, explicatie, uitleg
13 leeuw
14 jacht
15 reis, tocht, toer
16 mode, modus, wýs
19 zweten, transpireren, zweet
22 potlood
24 kust, zeekant, zeekust
25 elleboog

Solutions: axis, blanket, breathe, coast, elbow, explanation, fashion, flour, heath, hole, journey, knight, lion, mention, nineteen, pencil, powder, pump, quick, secure, shield, ship, signature, stem, sweat, teeth, tenth, unfortunately, wrist, yacht. (30 words). See www.websters-online-dictionary.org

Puzzle #45: Level 1 - A Bit Tough

© Philip M. Parker, INSEAD; www.websters-online-dictionary.org

Across

3 boos, kwaad, toornig
5 nederzetting, afrekening, afdoening
6 café, kroeg, bar
7 kat, kattekop, poes
10 benoeming, aanstelling, afspraak
13 vloeien, lopen, stromen
15 aarde, bodem, bevuilen
19 lezer
20 ontbijt, het ontbijt, ontbýt
22 beschuldigde, aangeklaagde, beklaagde
26 elektriciteit
27 ongewoon, ongebruikelijk, ongebruikelýk
28 zestig
29 antwoorden, antwoord, antwoorden op

Down

1 kanaal, buis, gracht
2 ouder
4 verzoek, aanvragen, verzoeken
7 klant, afnemer, cliënt
8 decennium
9 kostbaar, waardevol, waard
11 oneven, bizar, vreemd
12 spits, puntig
14 dak, overkapping, kap
16 schoonheid, fraaiheid, knapheid
17 winkel, bewaren, opslaan
18 vrucht
21 activa, bezit, actief
23 tachtig
24 lening, lenen, overneming
25 spiegel, afspiegelen

Solutions: accused, angry, appointment, assets, beauty, breakfast, cat, channel, customer, decade, eighty, electricity, flow, fruit, loan, mirror, odd, parent, pointed, pub, reader, reply, request, roof, settlement, sixty, soil, store, unusual, valuable. (30 words). See www.websters-online-dictionary.org

Puzzle #46:   Level 1 - Not Very Tricky

© Philip M. Parker, INSEAD; www.websters-online-dictionary.org

Across

2 spanning, inspanning, voltage
6 geur, ruiken, geuren
8 bereiding, voorbereiding, toebereiding
9 stemming, gemoedstoestand, moreel
10 achttien
12 vaardigheid, bedrevenheid, handigheid
15 staal, balein
16 levering, aflevering, afgifte
20 ziekte, aandoening, kwaal
22 oom, oom van moederskant, oom van vaderskant
23 tante, tante van moederskant, tante van vaderskant
24 keel, keelgat, strot
25 puur, zuiver, helder
26 minderheid, minderjarigheid, minoriteit
27 zak

Down

1 moe, vermoeid, mat
3 bruiloft, bruiloftsfeest, bruiloftsplechtigheid
4 invoer, Ingang
5 cirkel, kring, gezelschap
6 gevoelig, receptief, vatbaar
7 beloven, belofte, toezeggen
8 filosofie, wijsbegeerte, wýsbegeerte
11 elektrisch
13 brood, mik
14 werkgever
17 dieet
18 vliegtuig, schaaf, plataan
19 gezond, fit, valide
21 zelf, zelve
23 misbruik, misbruiken, gescheld

Solutions: abuse, aunt, bread, circle, delivery, diet, eighteen, electric, employer, healthy, illness, input, minority, mood, philosophy, plane, pocket, preparation, promise, pure, self, sensitive, skill, smell, steel, tension, throat, tired, uncle, wedding. (30 words). See www.websters-online-dictionary.org

Puzzle #47:   Level 1 - Not Very Tricky

© Philip M. Parker, INSEAD; www.websters-online-dictionary.org

Across

2 schaduw, schaduwen, afschaduwing
4 perron, podium, leiding
7 aangenaam, plezierig, behaaglÿk
10 oorsprong, afkomst, herkomst
14 baas, chef, aanvoerder
15 bereiden, toebereiden, aanmaken
16 verbergen, huid, vel
19 chirurgie, heelkunde, wondheelkunde
22 aanvaarding, aanneming, onthaal
25 uitzondering
27 zesde
28 haat, haten
29 garantie, waarborg, garanderen

Down

1 koel, afkoelen, bekoelen
3 koken, kok, kokkin
5 geneeskunde, geneesmiddel, medicijn
6 reservoir, vergaarbak, bak
7 overtuigen, overhalen, overreden
8 toren
9 lanceren, barkas, ontketenen
11 ziek, naar
12 verwardheid, verwarring, disorde
13 veertien
17 brood, mik
18 wekken, wakker maken, ontwaken
20 geluk, bof, buitenkansje
21 snaar, koorde, pees
23 poëzie, dichtkunst
24 goedkoop
26 cadeau, gave, geschenk

Solutions: acceptance, boss, bread, cheap, confusion, cook, cool, exception, fourteen, gift, guarantee, hate, hide, ill, launch, luck, medicine, origin, persuade, platform, pleasant, poetry, prepare, shadow, sixth, string, surgery, tank, tower, wake. (30 words). See www.websters-online-dictionary.org

Puzzle #48:   Level 1 - Not Very Tricky

© Philip M. Parker, INSEAD; www.websters-online-dictionary.org

Across

3 gang, overloop, baan
5 schoppen, schop, trappen
8 vertrek, uittocht, afrit
10 room, crème, afromen
12 dertien
13 aanhouding, arrestatie, aanhouden
14 jagen, bejagen, jacht maken op
16 onderling, wederkerig, wederzijds
18 genezen, helen, beter worden
22 dagboek, journaal
23 karakteristiek, kenmerkend, tekenend
25 plafond, hoogtegrens, zoldering
27 vlakte, helder, klaar
28 bos, woud
29 bereiden, toebereiden, aanmaken

Down

1 kaartje, biljet, passagebiljet
2 bezoeker
4 afval, vuilnis, rommel
6 stevig, vast, gevestigd
7 barsten, scheuren, scheur
9 verklaring, declaratie, aangifte
11 wiskunde, mathematica
15 gewoonte, gebruik, aanwensel
17 betrouwbaar, vertrouwd
19 slot, sluis, afsluiten
20 straal, band, spaak
21 kanaal, gracht, vaart
24 kom, bekken, vont
26 naakt, bloot, onbedekt
27 dichter

Solutions: arrest, bowl, burst, canal, ceiling, characteristic, corridor, cream, declaration, departure, diary, habit, hunt, kick, lock, mathematics, mutual, naked, plain, poet, prepare, ray, recover, reliable, rubbish, stable, thirteen, ticket, visitor, woods. (30 words). See www.websters-online-dictionary.org

Puzzle #49:   Level 1 - Not Very Tricky

© Philip M. Parker, INSEAD; www.websters-online-dictionary.org

Across

4 evenwicht, evenwichtstoestand, balans
6 zevende
8 redden, behouden, bergen
10 woonplaats, domicilie, kwartier
14 echtscheiding, scheiding
15 vriendschap
17 scheur, barst, spleet
19 begrafenis, graflegging, teraardebestelling
23 molenaar, mulder
25 afscheiding, afzondering, clausuur
26 ondernemen, moeite doen, pogen
27 val, slag, valstrik
28 paal, staak, deurpost
29 hongerig

Down

1 gordel, ceintuur, riem
2 vezel
3 oever, kust, boord
5 belonen, beloning, lonen
7 drukker, boekdrukker
9 baksteen, steen, bakstenen
11 geluk
12 zinken, doen zinken, duiken
13 touw, koorde, koord
16 weigering, afwýzing, afwijzing
18 haven
20 keizer
21 intrige, machinatie, verwikkeling
22 kraan, aanboren, aftappen
23 min
24 korrel, graan, zaadkorrel

Solutions: belt, brick, crack, divorce, emperor, equilibrium, fibre, friendship, funeral, grain, happiness, harbour, hungry, miller, minus, plot, printer, refusal, rescue, residence, reward, rope, separation, seventh, shore, sink, stake, tap, trap, undertake. (30 words). See www.websters-online-dictionary.org

Puzzle #50: Level 1 - Not Very Tricky

© Philip M. Parker, INSEAD; www.websters-online-dictionary.org

Across

1 vrachtauto, vrachtwagen
3 aanpassing, afstelling, instelling
8 haak, haakje, slot
9 appartement, flat
10 nachtmerrie, angstdroom, incubus
16 verwerping, wraking, afwijzing
17 schudden, schokken, doen schudden
18 schreeuwen, joelen, gieren
19 romp, bodem, casco
20 bestrating, plaveisel, wegdek
21 gierzwaluw, gauw, gezwind
23 duivel, boze, droes
26 vooroordeel, vooringenomenheid, benadelen
27 geduld, lýdzaamheid, lijdzaamheid
28 vloed, overstroming, overstromen

Down

2 gebruik, gewoonte, usance
4 diefstal, ontvreemdning
5 spek
6 erfenis, boedel, erfdeel
7 marmer, marmeren, pilletje
11 zwaartekracht
12 nevel, damp, floers
13 zeilen, zeil, afvaren
14 recept
15 wiskundig, mathematisch
17 ondiep, oppervlakkig, licht
21 glooiing, helling, afrit
22 zonde, zondigen, zonde doen
24 rooster, afrastering, hek
25 pastei, taart

Solutions: adjustment, apartment, bacon, custom, devil, flood, gravity, grid, hook, hull, inheritance, marble, mathematical, mist, nightmare, patience, pavement, pie, prejudice, recipe, rejection, sail, shake, shallow, shout, sin, slope, swift, theft, truck. (30 words). See www.websters-online-dictionary.org

Puzzle #51: Level 1 - A Bit Tricky

© Philip M. Parker, INSEAD; www.websters-online-dictionary.org

Across

2 hemel, lucht
4 dragen, brengen, voeren
5 herder, schaapherder, scheper
8 plaats, vlek, lokaliteit
10 inmiddels, intussen, ondertussen
11 druppel, vallen, waterdruppel
14 monster, staaltje, proefstuk
16 roeien, beurt, file
19 fotograaf
21 luxe, luxeartikel, weeldeartikel
24 plan, bedoeling, doel
25 scheidsrechter, arbiter
26 scheuren, traan, doorscheuren
27 doden, doodmaken, ombrengen

Down

1 gazon, grasveld, batist
2 chirurg, heelmeester
3 kort, kortstondig
6 schilder, huisschilder, kunstschilder
7 balk, straal, spaak
8 langzaam, traag
9 verwerpen, afwijzen, afkeuren
12 voorspoed, welstand, welvaart
13 schenken, gieten, sauzen
14 zich overgeven, afstand, capituleren
15 wonder, mirakel
17 kolonie, nederzetting, volksplanting
18 vast, star, onbeweeglýk
20 hamer, hameren
22 gids, besturen, dirigeren
23 dok, stallen, zuring

Solutions: beam, brief, colony, dock, drop, fixed, guide, hammer, intention, kill, lawn, luxury, meanwhile, miracle, painter, photographer, pour, prosperity, referee, reject, row, sample, shepherd, sky, slow, spot, surgeon, surrender, tear, wear. (30 words). See www.websters-online-dictionary.org

Puzzle #52:   Level 1 - A Bit Tricky

© Philip M. Parker, INSEAD; www.websters-online-dictionary.org

Across

2 tegenover, jegens, met
5 vullen, dempen, invullen
8 ontsnapping, ontkomen, ontsnappen
10 beheren, administreren, besturen
12 onderneming, bedrýf
13 jurk, aankleden, een verband omleggen
16 meel, bloem, eten
17 beperken, begrenzen, beknotten
19 voorstel, aanzoek, bod
21 gouden, gulden, goudblond
22 slaapkamer
26 aangeven, aanduiden, een teken geven
27 landbouw, akkerbouw, agricultuur
28 schuldig
29 de jouwe, het jouwe, de uwe
30 bestendig, constant, gestaag

Down

1 verwerpen, afwijzen, afkeuren
3 redacteur
4 dromen, droom, dagdroom
6 uiteraard, van nature, natuurlijk
7 bestelwagen, bestelauto
9 vestiging, etablissement, instelling
11 ijzer, bout, ýzer
14 fabriek, metaalfabriek
15 fotografie
18 blessure, verwonding, wond
20 vaak, gedurig, geregeld
23 rustig, kalm, op zýn gemak
24 familielid, bloedverwant, verwant
25 voltooien, aantikken, afwerken

Solutions: agriculture, bedroom, dream, dress, editor, enterprise, escape, establishment, factory, fill, finish, golden, guilty, indicate, injury, iron, limit, manage, meal, naturally, opposite, permanent, photography, proposal, quietly, regularly, reject, relative, van, yours. (30 words). See www.websters-online-dictionary.org

Puzzle #53: Level 1 - A Bit Tricky

© Philip M. Parker, INSEAD; www.websters-online-dictionary.org

Across

1 hertog
3 stichting, fundament, grondslag
4 poort, draaihek, doorgang
8 kwetsen, zeer doen, verwonden
9 besef, bezinning, bewustzijn
12 fiat, goedvinden, toestemming
14 behandelen, cureren, onthaal
17 voornaamste
18 verborgen, clandestien, verdekt
19 borst, kist, boezem
20 verschuiving
21 kern, pit
22 gevolg, consequentie, uitvloeisel
23 saké, rijstwijn, rýstwýn
26 aanvaardbaar, acceptabel, geldig
27 aankomst, aanvoer, bezorging

Down

1 tekening, schets, werkje
2 duisternis, donker, duister
5 aanhang, leden
6 snel, gauw, gezwind
7 tellen, aftellen, graaf
10 auteur, schrijver, schrýfster
11 treurig, bedroefd, droevig
13 strand
15 elektronisch
16 voorlopig, tijdelijk, týdelýk
18 gehoor, hoorzitting, horen
20 kleven, stok, aanhangen
24 bel, klok, belletje
25 golf, wuiven, zwaaien

Solutions: acceptable, arrival, awareness, beach, bell, chest, consequence, core, count, darkness, drawing, duke, electronic, foundation, gate, hearing, hidden, hurt, permission, principal, rapid, sad, sake, shift, stick, supporters, temporary, treat, wave, writer. (30 words). See www.websters-online-dictionary.org

Puzzle #54:   Level 1 - A Bit Tricky

© Philip M. Parker, INSEAD; www.websters-online-dictionary.org

Across

2 trouwen, huwen, trouwen met
8 inhoud
10 drukproef, adstructie, teken
12 inpakken, verpakken, pakken
13 schakelen, gard, schakelaar
16 bewaken, bewaker, wacht
19 aankomen, arriveren
22 klimaat
23 aanleg, neiging, gesteldheid
26 afwisselen, variëren, werken
27 zeventig
28 bewust, welbewust

Down

1 colbert, jasje, buis
3 ziek, naar
4 huur, huurprýs
5 diepte, kolk
6 ongeveer, circa, een stuk of
7 laden, lading, beladen
9 weddenschap, wedden
11 voorts, bovendien, daarenboven
13 verstandig
14 waarschuwing, tip, aanmaning
15 voeren, voeden, bikken
17 ten slotte, per saldo, eindelýk
18 vies, vuil, morsig
20 waarneming, aanmerking, berisping
21 pek
22 krekel, kriek
24 nieuw, roman, opkomend
25 apparaat, inrichting, hulpmiddelen

Solutions: approximately, arrive, bet, climate, conscious, contents, cricket, depth, device, dirty, feed, furthermore, guard, jacket, load, marry, novel, observation, pack, pitch, proof, rent, sensible, seventy, sick, switch, tendency, ultimately, vary, warning. (30 words). See www.websters-online-dictionary.org

Puzzle #55: Level 1 - A Bit Tricky

© Philip M. Parker, INSEAD; www.websters-online-dictionary.org

Across

3 teken, aanduiding, voorbode
6 onbewerkt, rauw, bot
8 gepensioneerd, rustend, in ruste
9 stroom, beek, loop
11 veelvoud, multipel
14 vertegenwoordiger, afgevaardigde, gedeputeerde
18 foto, fotograferen, kieken
19 bevestigen, aannemen, bekrachtigen
21 geregistreerd, aangetekend
23 verdenken, wantrouwen
26 leder, lederen, leren
27 voorschrift, bepaling, regel
28 werktuig, middel, gereedschap
29 aankondiging, bekendmaking, bericht

Down

1 taalkundig, linguïstisch
2 sigaret, saffiaantje
4 trots
5 bom, bombarderen
7 schatten, begroten, taxeren
10 beseffen, bevatten, snappen
12 bewust, welbewust
13 gedicht, vers, dichtwerk
15 binding, obligatie, band
16 kuip, bak, teil
17 overhemd, hemd
20 bescheiden, discreet, ingetogen
22 broodje, kadetje, rollen
23 afdoen, afhandelen, beslechten
24 stoom, damp, wasem
25 eenheid, eendracht, samenhang

Solutions: announcement, bomb, bond, cigarette, confirm, conscious, estimate, indication, leather, linguistic, modest, multiple, photograph, poem, pride, raw, realize, registered, regulation, representative, retired, roll, settle, shirt, steam, stream, suspect, tool, unity, vat. (30 words).
See www.websters-online-dictionary.org

Puzzle #56: Level 1 - Tricky

© Philip M. Parker, INSEAD; www.websters-online-dictionary.org

Across

2 handel, handeldrijven, handeldrýven
5 bevredigen, paaien, tegemoetkomen aan
6 gecompliceerd, ingewikkeld, samengesteld
7 gelach, hilariteit, lachbui
9 bakker, broodbezorger
11 kathedraal, dom
14 gen
15 klimmen, klauteren, beklimmen
19 gebaar, gebaren, geste
20 huurcontract, pachten, in pacht hebben
21 los, mul, rul
22 alcohol, drank, alcoholische drank
26 Bijbel, býbel
27 wapen
28 te weten, in naam, namelijk
29 controleren, aflezen, checken

Down

1 kristal, kristallen, kristalhelder
3 marine, zeemacht
4 buis, pijp, kanaal
8 lachwekkend, gek, mal
9 lager
10 afstaan, het veld ruimen, toegeven
12 hout, spant
13 koopman, handelaar, zakenman
16 afspiegeling, weerglans, reflectie
17 agnosceren, als waarheid aannemen, erkennen
18 optelling, toevoeging, toeslag
23 hok, pluim, schrýfpen
24 rang, stand, status
25 slagen, doorkomen, klaarspelen

Solutions: addition, audit, baker, bearing, bible, cathedral, climb, complicated, crystal, gene, gesture, laughter, lease, loose, merchant, namely, navy, pen, pipe, rank, recognize, reflection, ridiculous, satisfy, spirits, succeed, timber, trading, weapon, yield. (30 words). See www.websters-online-dictionary.org

Puzzle #57: Level 1 - Tricky

© Philip M. Parker, INSEAD; www.websters-online-dictionary.org

Across

1 vertelsel, relaas, verhaal
3 achterdocht, argwaan, verdenking
7 incidenteel, toevallig
9 haast maken, voortmaken, zich haasten
10 dienares, dienstmeisje, bediende
12 buis, binnenband, kanaal
13 bioscoop, filmkunst, kina
14 knap, mooi, fraai
15 dwaas, beetnemen, malloot
17 hek, afsluiting, barrière
21 buur, buurman, nabuur
24 omtrek, aanleg, omlýning
25 kloppen, klap, klappen
27 stomp, dof, dom
28 waterplas, kolk, vijver
29 treffend, frappant, opvallend

Down

1 triomferen, zegepralen, zegevieren
2 moed, durf, dapperheid
4 amper, ternauwernood, nauwelijks
5 kleding, kleren
6 aansluiting, vereniging
8 kind
11 inleggen, inmaken, conserveren
16 aanbevelen, recommanderen, aanprijzen
18 gek, krankzinnig, dol
19 reus
20 rest, overige, afval
22 bank, bok, ezel
23 verwonden, aanschieten, kwetsen
26 kap, kapje, muts

Solutions: bench, cap, cinema, clothing, courage, crazy, dull, fence, fool, giant, handsome, hurry, infant, junction, knock, neighbour, outline, pond, preserve, random, recommend, remainder, scarcely, servant, striking, suspicion, tale, triumph, tube, wound. (30 words). See www.websters-online-dictionary.org

Puzzle #58:   Level 1 - Tricky

© Philip M. Parker, INSEAD; www.websters-online-dictionary.org

Across

2 edel, nobel
3 zanger, zangeres
5 betreuren, bejammeren, berouw hebben van
7 verschillen, schelen, uiteenlopen
9 grootvader, opa
11 weduwe
13 avontuur, lotgeval, perikel
14 bidden
16 zaad
17 komedie, blýspel, blijspel
18 diep
20 avondeten, avondmaal
22 kliniek
24 uitgever, uitgeverý, uitgeverij
25 decaan, deken
26 schuilplaats, abri, beschutting
29 fabriceren, maken, vervaardiging

Down

1 toestaan, gedogen, toelaten
4 bende, troep, schare
6 houterig, stram, star
8 dienblad, presenteerblad, blad
10 adresboek, catalogus
12 middel, taille, leest
15 adoreren, aanbidden, aanbidding
18 bezitten, erop nahouden, rýk zýn
19 dek, scheepsdek, verdek
21 pauze, pauzeren, rust
23 inlichten, berichten, informeren
27 afstemmen, stemmen, deun
28 roven, beroven, bestelen

Solutions: adventure, clinic, comedy, dean, deck, differ, directory, gang, grandfather, inform, manufacture, noble, pause, permit, possess, pray, profound, publisher, regret, rigid, rob, seed, shelter, singer, supper, tray, tune, waist, widow, worship. (30 words). See www.websters-online-dictionary.org

Puzzle #59:   Level 1 - Tricky

© Philip M. Parker, INSEAD; www.websters-online-dictionary.org

Across

1 schuur, barak, keet
7 bries, briesje, zuchtje
8 gebrek, tekort, afwezigheid
11 meermaals, keer op keer, herhaaldelijk
14 koe
15 nuance, schaduw, schakering
16 klif, klip
19 vermogend, gefortuneerd, rijk
20 achterdochtig, argwanend, wantrouwig
22 zwaard, slagzwaard
23 vergeven, begenadigen
27 aanbesteding, aanbieding, aanbod
28 beeldhouwen, beeldhouwkunst, beeldhouwwerk
29 herberg, logement, uitspanning
30 uitsluiten, buitensluiten, uitzonderen

Down

2 waardering, appreciatie
3 aansporen, aanvuren, aanwakkeren
4 geweten
5 ellende, misère, armoe
6 aanmerking, opmerking, berisping
9 wakker, wakend
10 gebogen, krom
12 oefenen, drillen, zich oefenen
13 aartsbisschop, metropoliet, metropolitaan
17 vonnis, sententie, judicium
18 tegenstander, tegenspeler
21 doen alsof, voorgeven, voorwenden
24 bak, vat, boot
25 lelijk, rot, shit
26 beschonken, dronken, zat

Solutions: appreciation, archbishop, awake, barn, bent, breeze, cliff, conscience, cow, drunk, exclude, forgive, inn, misery, opponent, practise, pretend, remark, repeatedly, sculpture, shade, shortage, suspicious, sword, tender, ugly, urge, verdict, vessel, wealthy. (30 words). See www.websters-online-dictionary.org

Puzzle #60: Level 1 - Tricky

© Philip M. Parker, INSEAD; www.websters-online-dictionary.org

Across

2 saus, jus, sop
5 achtervolging, vervolging
8 vormsel, aanneming, bevestiging
9 zeehond, rob, verzegelen
10 uitbuiten, exploiteren, uitmelken
12 gevangenis, kerker, nor
13 waterstof
15 zeep, inzepen, zepen
17 nalatigheid, achteloosheid, nonchalance
21 aankondigen, aandienen, adverteren
25 fruiten, bakken
28 kalender
29 ongelukkige

Down

1 omgeving, omstreken, omtrek
3 aangrenzend, aanliggend, naburig
4 voor voldaan tekenen, kwiteren, kwitantie
6 adelaar, arend
7 vervangen, inboeten, substitueren
11 kruier, conciërge, portier
14 beknotten, begrenzen, beperken
16 aanpassen, afstellen, afstemmen
18 doodkist, kist
19 grijs
20 honger
22 geldstuk, munt, penning
23 breedte, ruimheid, baan
24 tweeling
25 neuken, naaien
26 kegel, speld, naald
27 schoen, beslaan

Solutions: adjacent, adjust, announce, calendar, coffin, coin, confirmation, eagle, exploit, fry, fuck, gray, hunger, hydrogen, jail, negligence, pin, porter, pursuit, receipt, restrict, sauce, seal, shoe, soap, substitute, surroundings, twins, unfortunate, width. (30 words). See www.websters-online-dictionary.org

Puzzle #61: Level 1 - Pretty Tricky

© Philip M. Parker, INSEAD; www.websters-online-dictionary.org

Across

2 grind, gruis, steengruis
5 vennoot, associé, lid
8 aanmerking, kritiek, beoordeling
10 uitvinding, vinding
11 bruid, meisje, verloofde
13 golf, afgrond, bocht
15 vangen, aanflitsen, aanfloepen
17 waarschuwen
19 verhaal, relaas, vertelling
21 winnen, aanwinst, acquest
23 gematigd, bescheiden, matig
25 opofferen, offeren
28 grot, gat, hol
29 antiek, aloud, ouderwets

Down

1 baars, bas, bassist
3 uitgang, afrit, uitweg
4 vasteland, continent, werelddeel
6 onderzoek, examen, keuring
7 secundair, ondergeschikt, tweederangs
8 volbracht, afgelopen, beëindigd
9 verleiding, aanvechting, temptatie
12 monster, staaltje, proefstuk
14 gezind, genegen, geneigd
16 samenzwering, samenspanning, komplot
18 canapé, divan
20 aanvuren, aanmoedigen, aansporen
22 veronachtzamen, nalaten, verwaarlozen
24 hiervandaan, van hier, vanhier
26 pijl, scheut
27 tas, zak

Solutions: ancient, arrow, bag, bass, bride, catch, cave, completed, conspiracy, criticism, encourage, examination, exit, gain, gravel, gulf, hence, inclined, invention, mainland, moderate, narrative, neglect, partner, sacrifice, secondary, sofa, specimen, temptation, warn. (30 words). See www.websters-online-dictionary.org

Puzzle #62: Level 1 - Pretty Tricky

© Philip M. Parker, INSEAD; www.websters-online-dictionary.org

Across

2 nagekomen
3 groot, hoog, verheven
7 platteland, open veld
10 ongemeen, schaars, zeldzaam
11 reglement, statuut
16 achteraf, daarna, naderhand
20 voertuig, vehikel, wagen
22 enigszins, wat, een beetje
23 monteren, schakel, zetten

24 reis, tocht, toer
26 afschaffen, elimineren, opdoeken
28 van oorsprong, oorspronkelýk, oorspronkelijk
29 begrepen

Down

1 overig, resterend, verder
2 pak, complet, kostuum
4 lokaliteit, oord, plaats

5 zich verbazen, zich verwonderen, bevreemding
6 binnenste, binnenlands, intern
8 bedrag, som, somma
9 bovendien, overigens, trouwens
12 uitgebreid, veelomvattend, omvangrýk
13 geleerd, knap, ontwikkeld
14 ijs, ýs, ýsco
15 gewillig, bereidvaardig, vrýwillig

17 in het buitenland, buiten, circulerend
18 afnemen, dalen, achteruitgaan
19 lessenaar, bureau, lezenaar
21 gevecht, kamp, spartelen
25 aansluiten, zich aaneensluiten, zich verenigen
27 oud

Solutions: abroad, afterwards, aged, countryside, decline, desk, extensive, ice, inner, learned, link, location, moreover, originally, pool, rare, regulations, remaining, remove, somewhat, struggle, subsequent, suit, sum, tall, trip, understood, vehicle, willing, wonder. (30 words). See www.websters-online-dictionary.org

Puzzle #63: Level 1 - Pretty Tricky

© Philip M. Parker, INSEAD; www.websters-online-dictionary.org

Across

5 raam, kader, lýst
7 langzamerhand, zoetjes aan, geleidelijk
9 imperium, keizerrijk, rijk
11 aangenomen, geadopteerd
12 arbeider, werker, werkkracht
13 vijfde, výfde
14 dragen, naar buiten brengen, doorstaan
16 geleiden, gedrag, leiden
17 beleven, doorleven, doormaken
18 orkestreren
22 geweer, roer, schietwapen
25 toestemming, goedvinden, toegeven
26 aangaande, omtrent, betreffende
27 parochie, gemeente, kerkbuurt
28 geheim, confidentie, vertrouwelýke mededeling
29 enquête, onderzoek

Down

1 achting, tel, aanzien
2 openbaarmaking, afkondiging, ruchtbaarmaking
3 veelomvattend, lývig
4 rijkdom, rýkdom
6 afbeelding, beeld, figuur
7 galerie, galerij, gang
8 jas, overjas
10 berging, redding, uitredding
15 achteraf, daarna, dan
19 afgietsel, gegoten voorwerp, afgieten
20 dupe, slachtoffer, getroffene
21 echt, authentiek, onvervalst
23 rand, boord, landsgrens
24 dans, dansen, bal

Solutions: adopted, border, cast, coat, comprehensive, concerning, conduct, consent, dance, empire, fifth, framework, gallery, genuine, gradually, gun, inquiry, parish, publication, recovery, regard, representation, score, secret, subsequently, suffer, survive, victim, wealth, worker. (30 words). See www.websters-online-dictionary.org

Puzzle #64:   Level 1 - Pretty Tricky

© Philip M. Parker, INSEAD; www.websters-online-dictionary.org

Across

1 bezoldiging, gage, loon
3 bezorgd, bang, beducht
6 doek, schildering, schilderstuk
8 eigendom, eigendomsrecht
14 opklimmend
15 behulpzaam, hulpvaardig
16 behoud, instandhouding, handhaving
19 kader, raam, vatten
20 tevreden, vergenoegd, voldaan
23 ontdekken
25 ban, gebied, grondgebied
28 gericht, judicium, oordeel
29 herhaald

Down

2 doorzien, gissen, gissing
4 negentiende
5 blazen, klap, mep
7 beklaagde, beschuldigde, verweerder
9 premie, prijs, prýs
10 klassiek, klassikaal
11 valuta, muntsoort
12 boosheid, toorn, gramschap
13 zichtbaar
16 kamperen, legeren
17 schikking, akkoord, maatregel
18 pensioen
21 invalide, gebrekkig, arbeidsongeschikt
22 nakomen, opdagen, opdraven
24 dom, flauw, onnozel
26 eerlijk, eerzaam, net
27 heester, struik, boompje

Solutions: anger, anxious, arrangement, blow, bush, camp, classical, conservation, currency, defendant, disabled, discover, frame, guess, helpful, honest, judgment, nineteenth, ownership, painting, perform, pleased, prize, repeated, retirement, rising, stupid, territory, visible, wage. (30 words). See www.websters-online-dictionary.org

Puzzle #65:   Level 1 - Pretty Tricky

© Philip M. Parker, INSEAD; www.websters-online-dictionary.org

Across

3 ver, afgelegen, apart
4 karakter, aard, geaardheid
5 radeloos, wanhopig
9 zacht, mild, zachtaardig
11 heelal, schepping, universum
17 aankomend, beginnend
18 tevredenheid
21 procent, rente
23 kampioen, titelhouder, voorvechter
25 bovendien, daarenboven, overigens
26 ontstaan, opstaan, geboren worden
27 ha, ach, ah
28 deskundig, vakman, deskundige

Down

1 belasten, beladen, inladen
2 inbeelding, verbeelding
4 lopen, stappen, tred
5 dozijn, twaalftal, dozýn
6 onecht, vals, dubbelhartig
7 nederlaag, bevangen, overwinnen
8 doorklieven, klieven, kloven
10 opwinding, agitatie, beroering
12 lieveling, favoriet, uitverkoren
13 wissel, cambio, klad
14 muzikaal
15 ontdekking
16 benadelen, deren, kwetsen
19 kenbaar maken, onthullen, openbaren
20 honorarium
22 gedenken, zich herinneren, herdenken
24 bloot, enkel, louter

Solutions: aha, arise, besides, burden, champion, defeat, desperate, discovery, dozen, draft, excitement, expert, false, favourite, fee, gentle, harm, imagination, junior, mere, musical, pace, percent, personality, recall, remote, reveal, satisfaction, split, universe. (30 words). See www.websters-online-dictionary.org

Puzzle #66: Level 1 - A Bit Advanced

© Philip M. Parker, INSEAD; www.websters-online-dictionary.org

Across

4 berusting, uittreding, aftreden
6 negeren, onder tafel schuiven, passeren
7 afgemeten, ceremonieel, plechtig
8 gouverneur, bestuurder
10 ontkennen, loochenen
12 geraffineerd
16 hemel, lucht
19 bevredigend
20 vernietiging, verwoesting, vernieling
21 geruit, geblokt
23 detineren, ophouden, reserveren
25 extern, buitenste, uitwendig
26 politiepatrouille, compagnie, ploeg
28 storen, belemmeren, hinderen
29 angst, bezorgdheid, spanning
30 onderzoeken, exploreren, nagaan

Down

1 waar dan ook
2 lot, bestemming, lotsbestemming
3 ineenstorten, instorten, uiteenvallen
5 courant, dagblad, krant
9 buigzaam, buigbaar, lenig
11 begrensd, beperkt, eindig
13 procent, percent, rente
14 bestendig, constant
15 afkeuren, afval, het verdommen
17 nergens
18 nederlaag, bevangen, overwinnen
22 bedremmeld, beduusd, beteuterd
24 onschuldig, onbedorven, onnozel
27 geldig, gangbaar, geldend

Solutions: anxiety, bother, checked, collapse, defeat, deny, destruction, fate, flexible, governor, heaven, ignore, innocent, investigate, journal, measured, nowhere, outer, percentage, refuse, resignation, restricted, retain, satisfactory, sophisticated, squad, steady, upset, valid, wherever. (30 words). See www.websters-online-dictionary.org

Puzzle #67: Level 1 - A Bit Advanced

© Philip M. Parker, INSEAD; www.websters-online-dictionary.org

Across

1 tevreden, vergenoegd, voldaan
3 woestijn, wildernis, afvallen
5 vernielen, verwoesten, te gronde richten
6 afleveren, bestellen, leveren
7 tegenspartelen, tegenstreven, weerstaan
9 onderscheiden, onderkennen, onderscheid maken tussen
11 aansluiting, vereniging
12 kapel, muziekkapel
13 te werk gaan
14 aandurven, zich wagen aan, kans lopen
17 grens, perk
18 spoedeisend, dringend, brandend
19 inwendige, binnenste
22 afbakenen, spoor, afdruk
23 debiteren, verhalen, vertellen
24 bak, grap, aardigheidje
25 Gratie, genade, sierlýkheid
26 grondig, radicaal

Down

1 zang, gefluit, gezang
2 pa, papa, pappa
4 geleerde, wetenschapper
5 wagen, durven, zich vermetelen
8 grandioos, groots, overweldigend
9 verdedigen, verweren, opkomen voor
10 gruwel, gruweldaad, verschrikking
12 overtuiging
15 achttiende
16 uitgaaf, uitgaven, besteding
20 aan komen lopen, aanpakken, beginnen met
21 wekelijks, elke week

Solutions: boundary, chapel, conviction, daddy, dare, defend, deliver, desert, destroy, distinguish, eighteenth, expenses, grace, horror, interior, joining, joke, proceed, relate, resist, satisfied, scientist, singing, superb, tackle, thoroughly, trace, venture, weekly. (30 words). See www.websters-online-dictionary.org

Puzzle #68:   Level 1 - A Bit Advanced

© Philip M. Parker, INSEAD; www.websters-online-dictionary.org

Across

5 doek, laken, stof
7 droevig, triest, verdrietig
8 bedaard, kalm, rustig
10 najagen, nastreven, achtervolgen
11 neef, nicht
13 verdienen, behalen, winnen
14 beneden, daarbeneden, onder
16 ontraadselen, oplossen
19 agressief, aanvallend, katterig
21 modder, slik, drek
23 afluisteren
24 achteruit, achterwaarts, rugwaarts
25 wang, kaak, koon
26 aangeleerd
27 twintigste
28 grandioos, groots, overweldigend

Down

1 afdak, luifel, schuur
2 gehavend, kapot, stuk
3 dienstregeling, rooster
4 zeer, pijnlijk, deerlýk
6 douwen, dringen, duwen
7 foei, schaamte, beschaamdheid
9 veranderen, anders maken, anders worden
11 begrip, conceptie, idee
12 ongelukkig
15 amusement, aardigheid, pretje
17 belegen, bezonken, rijp
18 forceren, opdringen
20 verbazingwekkend, bevreemdend, verwonderlýk
22 menigvoudig, menigvuldig, verschillend

Solutions: aggressive, alter, amazing, backwards, calm, cheek, cloth, conception, cousin, damaged, earn, entertainment, impose, learnt, magnificent, mature, monitor, mud, painful, pursue, sadly, schedule, shame, shed, solve, thrust, twentieth, underneath, unhappy, varied. (30 words). See www.websters-online-dictionary.org

Puzzle #69:   Level 1 - A Bit Advanced

© Philip M. Parker, INSEAD; www.websters-online-dictionary.org

Across

2 stiptheid, accuratesse, nauwgezetheid
4 schuld
6 bestraling, radiotherapie, straling
7 plaat, discus, grammofoonplaat
9 fiets, tweewieler, rýwiel
11 herinneren
13 aannemen, aanwerven, huren
15 boel, drom, hoop
17 deelnemen, meedoen, meemaken
18 begenadigen, gratie, vergeven
19 balanceren, doen schommelen, slingeren
20 vijg, výg
21 deuropening
23 dapper, braaf, ferm
24 handel, koopmanschap, nering
25 tegenwoordig
27 rugstuk, achterkant, averechts
28 noodzaak, noodzakelýkheid, noodzakelijkheid
29 hallo, zeg, hee

Down

1 verdomd, godverdomme, verdoemen
3 bestuur, bewind, regering
5 metro, ondergronds, onderaards
8 klacht, aanklacht, beschuldiging
10 zeldzaam
12 aandringen
14 afmeting, meting, dimensie
16 grandioos, groots, overweldigend
19 apart, gescheiden, vaneen
22 fokken, opfokken, opkweken
26 schunnig, afkeer inboezemend, akelig

Solutions: accuracy, bike, brave, breed, commerce, complaint, damn, disc, doorway, employ, fig, guilt, hey, insist, magnificent, measurement, nasty, necessity, nowadays, pardon, participate, pile, precious, radiation, reign, remind, reverse, separately, swing, underground. (30 words). See www.websters-online-dictionary.org

Puzzle #70: Level 1 - A Bit Advanced

© Philip M. Parker, INSEAD; www.websters-online-dictionary.org

Across

2 buitensporigheid, exces, overdaad
5 aansporing, prikkeling, stimulatie
8 aktentas
9 aanwakkeren, ventilator, waaier
10 aanwensel, foefje, kneep
15 balie, gerecht, gerechtsgebouw
16 koloniaal
18 schaal, schotel, gerecht
20 gevangene, arrestant, gedetineerde
22 beestachtig, bruut, ruw
24 aanmoediging, bemoediging, stijving
27 metro, ondergronds, onderaards
28 geleerd, ontwikkeld, knap
29 verloofd, geëngageerd

Down

1 bestendig, constant, gestaag
3 zelden
4 intrekken, terugtrekken, aftrekken
6 onbekende, vreemde, vreemdeling
7 zwak, flauwte, bewusteloos raken
11 vervelend, saai, melig
12 afstammeling, nakomeling, nazaat
13 aangeboren, autochtoon, ingeboren
14 maat, gezel, kameraad
15 bedreigend, dreigend
17 lelie
19 naar boven, omhoog, op
21 steil
23 lenen
25 paren, gemeenschap hebben
26 vaarwel, adieu, afscheid

Solutions: boring, borrow, colonial, companion, dish, educated, encouragement, engaged, excess, faint, fan, goodbye, harsh, lily, mate, native, portfolio, prisoner, seldom, steep, stimulus, stranger, successor, sustained, threatening, tribunal, trick, underground, upwards, withdraw. (30 words). See www.websters-online-dictionary.org

Puzzle #71: Level 1 - Somewhat Advanced

© Philip M. Parker, INSEAD; www.websters-online-dictionary.org

Across

3 verslappen, zich verpozen
4 huren, aannemen, aanwerven
7 aanhalen, citeren, noemen
9 chroniqueur, historicus, kroniekschrýver
15 vermeerderen
17 aroma, geur, kruiden
19 ouder, vlier
21 lieveling, lieverd, liefje
23 definitief, voorgoed
25 dol, woedend, doldriftig
26 achterklap, eerroof, laster
29 loven, roemen, lof
30 couplet, dichtregel, strofe

Down

1 verleden, voorafgaand, voorgaand
2 burger, staatsburger
5 gevolg
6 verzamelen, abstraheren, afleiden
8 afleiden, aftreksel, zetsel
10 tabak
11 enorm, geweldig, gigantisch
12 zekerheid, stelligheid, vastheid
13 bedreven, geoefend
14 maat, gezel, kameraad
16 mul, rul, iel
18 voorstellen, aanbieden, bieden
20 ontslaan, afdanken, afvoer
22 aaien, aai, aanhaling
24 eerzaam, waar, waardig
27 wreed, barbaars, wreedaardig
28 zinspelen, tip

Solutions: certainty, citizen, companion, cruel, darling, discharge, elder, enhance, extract, flavour, furious, gather, hint, hire, historian, immense, positively, praise, prior, propose, quote, relax, sandy, scandal, skilled, stroke, suite, tobacco, verse, worthy. (30 words). See www.websters-online-dictionary.org

Puzzle #72:   Level 1 - Somewhat Advanced

© Philip M. Parker, INSEAD; www.websters-online-dictionary.org

Across

2 gelukkig, zegenrýk
3 fjord, meer, plas
4 nutteloos, onbruikbaar
6 aas, crack, uitblinker
12 ruw, bot, cru
14 moment, ogenblik, oogwenk
18 brutaal, stoutmoedig, gedurfd
19 beslissend, cruciaal, finaal
21 kabbelen, klapperen, klotsen
23 leunen, mager, schragen
24 waardigheid, zelfgevoel, zelfrespect
26 dissertatie, stelling, proefschrift
27 knechten, onderwerpen, zich onderwerpen
28 bundel, bos, wis
29 bars, honds, nors

Down

1 kwalificeren, bepalen
2 voorspellen, voorspelling, beduiden
5 verwachting, afwachting
7 geest, spook, blinde
8 handelen, zaken doen, handeldrýven
9 sap
10 volhardend, aanhoudend, persistens
11 band, reep, strip
13 verlegenheid, benardheid, hinder
15 gauw, hard, snel
16 beperking, begrenzing
17 landbouw, agricultuur, akkerbouw
20 reageren
22 verlaten, afleggen, opgeven
25 aan, naar, tegen

Solutions: abandon, ace, binding, bold, bunch, crude, decisive, dignity, embarrassment, expectation, farming, forecast, fortunate, ghost, instant, juice, lap, lean, loch, negotiate, persistent, qualify, react, restriction, submit, swiftly, thesis, toward, unpleasant, useless. (30 words). See www.websters-online-dictionary.org

Puzzle #73: Level 1 - Somewhat Advanced

© Philip M. Parker, INSEAD; www.websters-online-dictionary.org

Across

6 schragen, steunen, stutten
7 wanhopen, radeloosheid, wanhoop
8 gehaast, haastig
9 mormel, ondier, rotbeest
11 pleiten, argument, pleidooi
14 beroerd, ellendig, arm
16 muntstempel, postzegel, stempelen
18 heilige
19 baar, gard, stang
21 zeventiende
25 schatting, cýns, cijns
26 aangrenzend, aanliggend, naburig
29 dwaas, dom, onverstandig
30 pakje

Down

1 bekken, vont, kom
2 befaamdheid, beroemdheid, faam
3 aangeschoten, gewond
4 nadelig, schadelýk, strýdig
5 omroepen, uitzenden
10 troon
12 dicht
13 beschaafd, welgemanierd, wellevend
15 aanvulling, voleinding
17 lustig, monter, jolig
20 slepen, trekken, boegseren
22 jager
23 eksteroog, likdoorn, eelt
24 brengen, aandragen, bezorgen
27 beet, happen, beitsen
28 keuvelen, babbelen, gebabbel

Solutions: adverse, basin, bite, broadcast, chat, cheerful, compact, corn, despair, drag, fame, fetch, foolish, hunter, hurried, miserable, monster, neighbouring, packet, plea, polite, rod, saint, seventeenth, stamp, supplement, sustain, throne, tribute, wounded. (30 words). See www.websters-online-dictionary.org

Puzzle #74: Level 1 - Somewhat Advanced

© Philip M. Parker, INSEAD; www.websters-online-dictionary.org

Across

1 barmhartigheid, genade
6 de hunne, het hunne
8 bazin, meesteres
13 klomp, klont, bal
14 afname, verlagen, afdraaien
17 afdingen, marchanderen, pingelen
21 samenkomst, meeting, vergadering
22 bekleden, beslaan, bezetten
23 aangepast, bewerkt
26 minachting, verachting, schamperheid
27 borg staan voor, garanderen, garantie
28 kreunen, zuchten
29 ontslaan, ontzetten, royeren
30 bizar, geschift, getikt

Down

2 aftreden, met pensioen gaan
3 houder, foedraal, schede
4 illusoir, bedrieglýk, bedrieglijk
5 beschaamd
7 afdaling, neerdaling
9 redding, verlossing, behoud
10 voetbal
11 flitsen, flikkeren, gloren
12 overzetboot, pont, veerpont
15 boksen, bokssport
16 overtreffen, te boven gaan, uitblinken
18 goedkeuren, beamen, toestemmen
19 nieuwsgierigheid, weetgierigheid
20 willekeurig, arbitrair, eigenmachtig
24 opvoeden, gouverneur, huisonderwýzer
25 kronkelen, verwringen, de twist dansen

Solutions: adapted, approve, arbitrary, ashamed, bargain, boxing, contempt, curiosity, decrease, descent, exceed, ferry, flash, gathering, holder, lump, mercy, misleading, mistress, occupy, retire, sack, salvation, sigh, soccer, theirs, tutor, twist, warrant, weird. (30 words). See www.websters-online-dictionary.org

Puzzle #75:   Level 1 - Somewhat Advanced

© Philip M. Parker, INSEAD; www.websters-online-dictionary.org

Across

1 schuld
4 enig, uniek
7 bedaagd, hoogbejaard
11 onafhankelijkheid
13 aardig, bevriend, lief
18 slecht
19 straf, bar, duchtig
20 fonds, geldkist, kas
21 ergens, hier of daar
22 behelzen, bevatten, inhouden
25 een of ander, iemand
26 buit maken, verwerven, behalen
27 amusant, leuk, aardig
28 intonatie, toon, tonus
29 aanblik, aanzien, air
30 geoefend, bedreven, ervaren

Down

2 miljard
3 fout, foutief, onjuist
5 gekozen, select, uitgelezen
6 levend
8 abundantie, overvloed
9 afbeelden, uitbeelden, verbeelden
10 afstropen, uitschudden
12 snuiter, kerel, knul
14 onderscheiding
15 behoud, handhaving, onderhoud
16 aandoen, treffen, beïnvloeden
17 afgevaardigde, plaatsvervangend, subsidiair
23 aanpakken, gaan naar, genaken
24 slechtst

Solutions: advance, affect, alive, anybody, anywhere, aspect, badly, billion, contain, debt, deputy, distinction, elderly, elected, experienced, friendly, funny, guy, harry, independence, maintenance, mistaken, obtain, plenty, represent, severe, till, tone, unique, worst. (30 words). See www.websters-online-dictionary.org

Puzzle #76: Level 1 - Advanced

© Philip M. Parker, INSEAD; www.websters-online-dictionary.org

Across

7 bleek, flets, verbleekt
9 aangeleerd
11 behalve, naast, bezýden
13 grotendeels, merendeels, overwegend
14 aspirant, kandidaat, sollicitant
16 crisis, noodgeval
18 begrenzen, grenzen
19 schuld
21 plotseling
26 tegenkanting, tegenstand, tegenweer
27 fout, foutief, onjuist
28 indienen, presenteren, vertonen
29 achtervoegsel, extensie, suffix

Down

1 pal, stevig, vast
2 aanbieden, te koop aanbieden, aanvragen
3 disputeren, krakelen, twisten
4 bezoldiging, gage, loon
5 geliefd, bemind
6 merkwaardig, opmerkelýk
8 toegeven, toelaten, bekennen
10 vergelijking, vergelýking
12 verplegen, verzorgen, zorgen voor
15 klaveren
17 vijand, belager, výand
19 ameublement, huisraad, inboedel
20 houten
22 afhangen, deel uitmaken, afhankelýk zýn
23 opwindend
24 begrip, idee, benul
25 bres, gaping, opening

Solutions: acquired, admit, alongside, argue, attend, bid, bound, candidate, clubs, comparison, depend, emergency, enemy, exciting, extension, fault, firmly, furniture, gap, introduce, loved, mistaken, mostly, notion, pale, remarkable, resistance, sudden, wages, wooden. (30 words). See www.websters-online-dictionary.org

Puzzle #77: Level 1 - Advanced

© Philip M. Parker, INSEAD; www.websters-online-dictionary.org

Across

1 onafgebroken, continu, doorlopend
4 heilig, geheiligd, sacraal
10 prestatie, verrichting, actie
11 daarnaast, ernaast, hiernaast
13 klinisch
14 achterstallig, onbetaald
17 longtering, tering, tuberculose
19 advocaat, pleitbezorger, raadsman
20 aanrekenen, schuld, toedichten
23 alles wel beschouwd, überhaupt
25 hoofdkwartier
27 alleenstaand, geïsoleerd
28 hoed
29 helder, klaar, uitgesproken

Down

2 omzet
3 koets, opvoeden, coachen
5 echt, inderdaad, naar waarheid
6 amusement, genoegen, plezier
7 huisje, hut
8 dol, dolzinnig, gek
9 afleren, afwennen, leren
12 bestek, grootte, omvang
13 beloning, loon, vergelding
15 expres, met opzet, moedwillig
16 zelfbewust, zelfverzekerd
18 kosten, onkosten
21 boven, daarboven, omhoog
22 barmhartigheid, menslievendheid, naastenliefde
24 afhelpen
26 doof

Solutions: achievement, altogether, blame, charity, clinical, coach, compensation, confident, consumption, continuous, cottage, deaf, deliberately, distinct, expense, extend, fun, hat, headquarters, holy, isolated, mad, nearby, outstanding, rid, solicitor, teach, truly, turnover, upstairs. (30 words). See www.websters-online-dictionary.org

Puzzle #78:   Level 1 - Advanced

© Philip M. Parker, INSEAD; www.websters-online-dictionary.org

Across

5 genoeg, basta, nogal
8 agrarisch, landbouwkundig
13 graaf
16 aurora, dageraad, morgenlicht
19 aanbevolen
21 aardlaag, afleggen, aflegger
22 zeker, bepaald, ongetwijfeld
24 bezoeken, geregeld bezoeken, veelvuldig
25 arrest
28 consigne, instructie, aanwýzing
29 aldoor, permanent, constant

Down

1 wisselend, afwisselend, variabele
2 buitengewoon, býzonder
3 aanlokken, aantrekken, bekoren
4 gewond
6 volk
7 bef
9 dicht, dik, gebonden
10 actualiteit, iets actueels, apropos
11 bedreven, behendig, bekwaam
12 herbergier, logementhouder, waard
14 gemeen, immoreel, verlaten
15 vergelijken, vergelýken
17 eerstkomend, naast
18 bloot, naakt, onbedekt
20 ver, afgelegen, veraf
23 op slot, afgesloten
24 weefsel
26 moes, pap, brý
27 de hare, het hare

Solutions: abandoned, agricultural, attract, bands, bare, clever, compare, concentrated, constantly, dawn, directions, distant, earl, extraordinary, fabric, folk, frequent, hers, injured, judgement, landlord, layer, locked, mess, nearest, recommended, sufficiently, topic, undoubtedly, variable. (30 words). See www.websters-online-dictionary.org

Puzzle #79: Level 1 - Advanced

© Philip M. Parker, INSEAD; www.websters-online-dictionary.org

Across

1 haast maken, spoed maken, voortmaken
4 aanstaren, staren, turen
5 grafiek, grafische kunst
8 doorwaden
9 bedoelen, beogen, mikken
10 aanranden, aantasten, aanvallen
11 toelating, erkenning, ontvangst
12 aanvechting, lust, neiging
15 op, versleten
19 behalen, buit maken, aankopen
21 gedenkdag, herdenkingsdag, verjaardag
22 beneden, daarbeneden, onder
23 bestek, grootte, omvang
24 nauw, nauwsluitend, stipt
25 zijde, zý, zij
26 licht, lichtjes, zwak
27 concurreren, meedingen, wedýveren
28 streng, bar, duchtig

Down

1 verhuizing
2 doelmatig, geschikt, gepast
3 amper, ternauwernood, kwalýk
6 begrensd, beperkt, eindig
7 besef, bewustzijn, bezinning
13 onbepaald, onzeker, precair
14 opdagen, opdraven, bovenkomen
16 verwekken
17 ver, afgelegen, veraf
18 begerenswaardig, begeerlýk, wenselýk
20 affuit, koets, equipage
22 in verrukking brengen, verrukken, verrukking

Solutions: acquire, admission, anniversary, assault, barely, bulk, carriage, compete, confined, consciousness, convenient, delight, desirable, disposal, distant, downstairs, emerge, ford, gaze, generate, graphics, intend, lightly, removal, rush, silk, strict, tight, uncertain, worn. (30 words). See www.websters-online-dictionary.org

Puzzle #80: Level 1 - Advanced

© Philip M. Parker, INSEAD; www.websters-online-dictionary.org

Across

1 een geintje maken, geitje
6 besef, bewustzijn, bezinning
8 toerist
10 verkrachting
12 tikken
13 schepsel, wezen, schepping
16 duim
18 amper, ternauwernood, kwalýk
19 geliefde, minnares, vriendin
22 bindend, dwingend, gedwongen
25 graad, mate, trap
27 aanwinst, acquisitie, buit
29 verrukt
30 ambtshalve

Down

2 karakteristiek, zich onderscheidend, gedistingeerd
3 adieu, dag, vaarwel
4 achterhoede, achterkant, achtereind
5 gehaat
7 slim, doortrapt, gewiekst
9 bereisd
11 flikker, goedgehumeurd, goedgeluimd
14 abdij, abdý
15 bemachtigen, griep, influenza
17 afbikken, bikken
20 daarvoor, eerder, vooraan
21 eeuwig, voor eeuwig
23 soliditeit, stevigheid, degelýkheid
24 bedenken, zich verbeelden, dromen
26 getij, tij, getý
28 beklagen, erbarmen, mededogen

Solutions: abbey, asset, barely, bye, chip, compulsory, consciousness, creature, delighted, distinctive, fancy, forever, formerly, gay, grade, grip, hated, inch, kid, lover, officially, pat, pity, rape, rear, smart, tide, tourist, travelled, virtue. (30 words). See www.websters-online-dictionary.org

Puzzle #81:   Level 1 - Pretty Advanced

© Philip M. Parker, INSEAD; www.websters-online-dictionary.org

Across

1 vochtig, vochtigheid, natheid
5 afscheiden, afzonderen, scheiden
10 maandelijks, maandelýks
13 gekheid, onzin, nonsens
15 toernooi, steekspel
16 concours, match, wedstrýd
17 buit, gevangenneming, prooi
19 bediende, kantoorbediende, commies
20 boekhouding, accountancy, boekhouden
23 afwezig, verstrooid, ontbrekend
25 college, college geven, lezing
27 bereikbaar, genaakbaar, toegankelijk
28 einde, eindigend, slot
29 speurtocht, speurwerk, onderzoek
30 anders

Down

2 monteren, zetten, aanbrengen
3 dissertatie, stelling, proefschrift
4 karakteristiek, zich onderscheidend, gedistingeerd
6 aantreffen, ontmoeten, ontmoeting
7 gelukkig
8 dichtheid
9 woest
11 vijandelijk, vijandig, výandelýk
12 boer, landman, plattelander
14 aldoor, permanent, constant
18 berichten, mededelen, meedelen
21 vredig, vreedzaam, vredelievend
22 akelig, naar, onaangenaam
24 zich gedragen
26 algemeen, in het groot, schetsmatig

Solutions: absent, accessible, accounting, behave, clerk, communicate, constantly, contest, damp, density, differently, distinctive, divide, encounter, ending, essay, exploration, fierce, fortunately, horrible, hostile, lecture, monthly, mount, nonsense, peaceful, peasant, prey, tournament, vague. (30 words). See www.websters-online-dictionary.org

Puzzle #82: Level 1 - Pretty Advanced

© Philip M. Parker, INSEAD; www.websters-online-dictionary.org

Across

2 bemachtigen, beetpakken, greep
6 nader, naderbý
7 zwemmen
9 aanpassen, adapteren, afstemmen
11 geschiktheid
17 determineren, fixeren, herstellen
20 verdriet, bedroefdheid, leed
21 aapje, vigilante, huurrýtuig
22 aldoor, permanent, voortdurend
25 aanboren, vervelen, boor
26 onverschillig wie, wie dan ook
27 daarop, vervolgens
28 goedheid
29 bereden

Down

1 besparing, bezuiniging, uitsparing
3 agnosceren, als waarheid aannemen, bevestigen
4 oplichting, bedrieger, bedriegerý
5 afdoen, afhandelen, afwikkelen
8 ingezet stuk, lap, lapwerk
10 pariteit, gelýkheid
11 goedgezind, gunstig, toegenegen
12 echt, werkelýk, wezenlýk
13 buurt, nabuurschap, nabýheid
14 uitmaken, vormen
15 log, plomp, knullig
16 eigenaardig, vreemd, gek
18 aandoening, affectie, genegenheid
19 twee weken, veertien dagen
23 belichting
24 ontzetting, schrik, schrikbewind

Solutions: accommodate, acknowledge, affection, awkward, bore, cab, conclude, constitute, continually, equality, favourable, fitness, fix, fortnight, fraud, genuinely, goodness, grasp, grief, lighting, mounted, nearer, neighbourhood, patch, peculiar, saving, swimming, terror, thereafter, whoever. (30 words). See www.websters-online-dictionary.org

Puzzle #83:   Level 1 - Pretty Advanced

Across

1 toekomen, verdienen, waard zýn
4 modieus, in de mode, in zwang
5 doek, gordijn, scherm
8 tijdelijk, vooralsnog, vooreerst
9 oog, punt, spikkel
10 brochure, ingenaaid boek, paperback
12 verpestend, aanstekelýk, besmettelýk
13 stil, zwijgend
14 bemesting
15 klagen, zýn beklag doen
17 behoedzaamheid, voorzichtigheid, waarschuwen
19 mooi, net
20 heilig, geheiligd, gewijd
22 beetnemen, pakken, vangen
23 afslanken, rank, slank
24 discutabel, dubieus, bedenkelýk
25 dubbel, duplex, tweeledig
26 deels, ten dele
27 overtuigen
28 uitmaken, vormen

Down

2 zonlicht, zonnelicht
3 gescheurd
6 afschaffing, annulering, eliminatie
7 menigvoudig, menigvuldig, verschillend
9 afbeelding, beeld, figuur
11 geheim, vertrouwelijk, vertrouwelýk
16 beschermend
17 feestviering, fuif, viering
18 bedenking, tegenargument, tegenwerping
21 kostbaar, waardevol, duur

Solutions: abolition, beautifully, capture, catching, caution, celebration, complain, confidential, constitute, convince, costly, curtain, deserve, diagram, diverse, dot, doubtful, dressing, dual, fashionable, leaflet, objection, partially, protective, sacred, silently, slim, sunlight, temporarily, torn. (30 words). See www.websters-online-dictionary.org

© Philip M. Parker, INSEAD; www.websters-online-dictionary.org

Puzzle #84:   Level 1 - Pretty Advanced

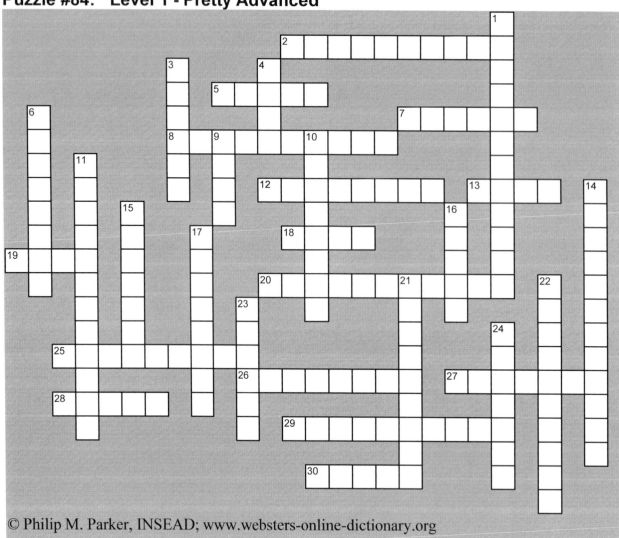

© Philip M. Parker, INSEAD; www.websters-online-dictionary.org

Across

2 hoofd der school, schoolhoofd, hoofdonderwýzer
5 achtervolgen, najagen, nastreven
7 afstand, eind
8 beeldig, betoverend, heerlýk
12 sterk, terdege
13 mat
18 inrichten, opruimen, regelen
19 breedvoerig, groot, royaal
20 berekening, rekening, becýfering
25 aanhang, achterban
26 emotioneel, roerend, ontroerend
27 bestaan uit
28 staat, rýk, rijk
29 buitengewoon, býzonder
30 lawaaierig, luidruchtig, rumoerig

Down

1 behoud, bewaring, handhaving
3 hardop, luid
4 dichtslaan, knal
6 belemmering, hindernis, hinderpaal
9 steeg
10 schrikaanjagend, ijselijk
11 beoefenaar
14 minpunt, nadeel, schaduwzýde
15 aankondigen, adviseren, bekendmaken
16 vloeibaar, vloeistof, dun
17 beleefdheid
21 naar men zegt
22 berusting
23 verspild
24 bekeren, bekeerling, proseliet

Solutions: allegedly, bang, calculation, chase, consist, convert, counsel, courtesy, delightful, disadvantage, fluid, followers, formidable, handicap, headmaster, lane, loudly, matt, noisy, offset, practitioner, preservation, realm, strongly, submission, terrible, tidy, touching, vast, wasted. (30 words). See www.websters-online-dictionary.org

Puzzle #85:   Level 1 - Pretty Advanced

© Philip M. Parker, INSEAD; www.websters-online-dictionary.org

Across

4 min, minder
7 vrijwillig, gewillig, voluntarius
9 verheugenis, verheuging, blýdschap
13 bestaan uit
17 verrassend
19 dienovereenkomstig, dus, ergo
20 schijf, plaat
23 stil, stilzwijgend, zwijgend
25 beproefd
29 aansprakelijkheid
30 bloedverwanten, familie, verwanten

Down

1 aaneen, man, manspersoon
2 druk, kras, kwiek
3 werkeloos, werkloos
5 allerwegen, alom, overal
6 karpet, kleed, tapijt
8 reclame
10 toevallig, occasioneel
11 bekeren, bekeerling, proseliet
12 waarnemend, plaatsvervangend, subsidiair
14 geestelijk
15 met goed gevolg, met succes
16 daarmede, daarmee
18 opgang, trap
21 afhankelijk, onderhorig
22 eiser
24 finaal, heel, helemaal
26 gaan, karren, rijden
27 kamer, lokaal, vertrek
28 verheugd, blij

Solutions: accordingly, acting, advertising, approved, carpet, chamber, consist, convert, dependent, disk, everywhere, fellow, fewer, glad, joy, keen, liability, occasional, plaintiff, relatives, ride, silent, spiritual, stairs, successfully, surprising, thereby, unemployed, voluntary, wholly. (30 words). See www.websters-online-dictionary.org

Puzzle #86: Level 1 - Somewhat Difficult

© Philip M. Parker, INSEAD; www.websters-online-dictionary.org

Across

6 toonbank
8 kamers, vertrekken
9 vissen
10 keurig, voegzaam, behoorlýk
11 inzonderheid, in het bijzonder, speciaal
13 knap, net, netto
15 hiërarchie
17 dientengevolge, dus, zodoende
20 verstandig, vroed, wijs
23 belichting, uitstalling, uitstelling
25 beleid, omzichtigheid, voorzichtigheid
26 universeel, wereldwijd, algemeen
27 arglist, boosaardigheid, Ambacht
28 titel, graad, kop
29 aangeven, aanreiken, afdragen

Down

1 weefsel
2 brandend, dringend, spoedeisend
3 zwakte
4 waardoor, waarmee
5 bediening
7 tegenvaller, teleurstelling, desillusie
12 jaartelling, týdperk, týdrekening
14 eenzaam
16 coherent, samenhangend
18 begroting
19 jongen, knaap
20 wijsheid, wýsheid
21 zwangerschap
22 behandeling
24 gretig, happig, begerig

Solutions: attendance, connected, consequently, convey, counter, craft, decent, disappointment, discretion, eager, era, estimates, exposure, fishing, handling, heading, hierarchy, lad, lonely, neat, pregnancy, pressing, quarters, specially, tissue, weakness, whereby, wisdom, wise, worldwide. (30 words). See www.websters-online-dictionary.org

Puzzle #87: Level 1 - Somewhat Difficult

© Philip M. Parker, INSEAD; www.websters-online-dictionary.org

Across

3 bestemming
6 karrespoor, spoor, wagenspoor
9 het opnemen tegen, bestrýden
10 onzichtbaar
13 voerman, transporteur, vervoerder
16 aanbeeldbeitel
19 eveneens, evenzeer, mede
22 zonneschijn, zonneglans
24 bederf, omkoopbaarheid, verdorvenheid
25 dientengevolge, dus, zodoende
26 angstig, bang, graf
28 beklimming
29 strak
30 bedrukt, gedrukt, down

Down

1 beraadslagen, confereren, overleggen
2 salon, zaal
4 luchtvaartmaatschappij, luchtlýn
5 even, evenzeer, gelýk
7 wil, zin
8 bedroeven, behoeftigheid, droevig stemmen
11 waarschijnlijk, waarschýnlýk
12 afhankelijkheid, afhankelýkheid
14 behoedzaam, voorzichtig
15 'm smeren, verdwýnen, verdwijnen
17 maagd, ongerept, maagdelijk
18 bepalend
20 verloving
21 kast
23 leverancier
27 bedeesd, bevangen, blo

Solutions: airline, alike, carrier, cautious, climbing, combat, consequently, corruption, cupboard, deliberate, dependence, depressed, destination, determining, disappear, distress, engagement, grave, hardy, invisible, likewise, lounge, probable, shy, sunshine, supplier, tightly, trail, virgin, willingness. (30 words). See www.websters-online-dictionary.org

Puzzle #88: Level 1 - Somewhat Difficult

© Philip M. Parker, INSEAD; www.websters-online-dictionary.org

Across

4 werkgevers
7 inhoud
8 onzekerheid
9 bruto
12 gestolen
14 voorzichtig, zachtjes
15 gereedschap,
   gereedschappen
16 aanstoot, ergernis,
   verontwaardiging
18 afwerpen, gedogen,
   opbrengen
23 aanzienlýk
24 bijwerken
26 stek
27 excerpt, samenvatting
28 wegen
29 beschrýven, beschrijven

Down

1 ýselýk, afgrýselýk,
   afschuwelýk
2 overgang
3 rundvee
5 voorrang
6 eis
7 kanselier
10 gesproken
11 verhouding
13 heerlijk, heerlýk, kostelýk
17 compleet, gans, geheel
19 ramp
20 geselecteerd
21 adequaat, keurig,
   overeenstemmend
22 geavanceerd
25 vrije tijd

Solutions: advanced, afford, awful, cattle, chancellor, considerably, content, cutting, delicious, describe, disaster, employers, entire, fitting, gently, gross, leisure, offence, priority, ratio, requirement, roads, selected, spoken, stolen, summary, tools, transition, uncertainty, update. (30 words). See www.websters-online-dictionary.org

Puzzle #89:   Level 1 - Somewhat Difficult

© Philip M. Parker, INSEAD; www.websters-online-dictionary.org

Across

1 zelfdoding
4 herstellen
5 afsluiting
8 aandoenlýk, aangrýpend, emotioneel
9 kerel, knul, persoon
11 doeltreffendheid
12 grof, ordinair, vulgair
13 kapitalisme
19 aardappelen
22 heerlijk, heerlýk, kostelýk
26 beschikbaarheid
27 uitzonderlýk

Down

1 alleen, maar, slechts
2 ontwerper
3 voorkeur
6 geslacht
7 ontvanger
9 býdragen
10 aalwaardig, aalwarig, eenvoudig
14 inschrijving
15 fabrikant
16 gemenebest
17 effecten, waardepapieren
18 allereerst, eerst, ten eerste
20 gevoeligheid
21 voorbeeld
22 domein
23 ad rem, geestig, gevat
24 brandend
25 roken

Solutions: affecting, availability, burning, capitalism, chap, closing, commonwealth, contribute, delicious, designer, domain, effectiveness, everyday, exceptional, firstly, gender, instance, lively, manufacturer, potatoes, preference, receiver, registration, restore, securities, sensitivity, smoking, solely, straightforward, suicide. (30 words). See www.websters-online-dictionary.org

Puzzle #90: Level 1 - Somewhat Difficult

© Philip M. Parker, INSEAD; www.websters-online-dictionary.org

Across

1 afwerking
6 onaannemelýk, onaannemelijk, ongelofelýk
8 gehecht
10 spijkerbroek
11 terstond
13 schrikaanjagend
15 vergelýkenderwýs
16 oogst, oogsten, opbrengst
18 herinnering
20 cilinder, rol
21 natrium
24 knoflook, look
25 aardappel, pieper
27 stikstof
28 ouderlýk, ouderlijk

Down

2 vervanging, aflossing, substitutie
3 koor, rei, zangkoor
4 voeding
5 goddelýk
7 mol
9 nier
12 emmer
14 býdragen
17 opgelucht
18 regenboog
19 liniaal, heerser, beheerser
21 glijbaan
22 atoom
23 zeilen
26 oogst

Solutions: atom, bucket, chorus, comparatively, contribute, crop, cylinder, devoted, divine, dreadful, feeding, finishing, garlic, harvest, incredible, instantly, jeans, kidney, mole, nitrogen, parental, potato, rainbow, relieved, reminder, ruler, sailing, slide, sodium, substitution. (30 words). See www.websters-online-dictionary.org

Puzzle #91: Level 1 - Difficult

© Philip M. Parker, INSEAD; www.websters-online-dictionary.org

Across

2 moeras, broek, drasland
4 paspoort, pas
5 koorts
6 mist, nevel, damp
7 heup
12 toetsenbord, klavier
14 vlinder, kapel
16 hiel, hak
18 terstond
19 buik, achterlýf, onderlýf
22 fiets, tweewieler, rijwiel
25 vochtig, klam, mottig
27 ui, ajuin
28 octrooi
29 forel
30 bliksem, flits, hemelvuur

Down

1 verbinding
3 chirurgisch, heelkundig
8 groente, plantaardig
9 aardewerk, faience, plateel
10 vork, kruis
11 uitspraak
13 herhaling, repetitie
15 long
17 ivoor, ivoorkleurig, ivoren
20 kant
21 ketel, kookketel, waterketel
23 geit, bok, sik
24 negende
26 zwaan

Solutions: belly, bicycle, butterfly, compound, fever, fog, fork, goat, heel, hip, instantly, ivory, kettle, keyboard, lace, lightning, lung, marsh, moist, ninth, onion, passport, patent, pottery, pronunciation, repetition, surgical, swan, trout, vegetable. (30 words). See www.websters-online-dictionary.org

Puzzle #92: Level 1 - Difficult

© Philip M. Parker, INSEAD; www.websters-online-dictionary.org

Across

1 enkel, de enkel
3 hooi
6 gerst
8 velg, rand, band
10 schiereiland
12 tarwe, weit
13 spin, spinnekop
17 snor, knevel
19 draad, garen, insteken
22 breien

24 schillen, jassen, afpellen
25 linnen, doek
27 meter, versmaat, metrum
28 hulst

Down

2 luitenant
4 eetlust, trek, hongerigheid
5 recept, voorschrift

6 boon, tuinboon, veldboon
7 snoek
9 klooster, mannenklooster
11 slang
14 raket, vuurpijl, vuurpýl
15 vergiftigen, vergif, gif
16 vertalen, overzetten, translateren

18 annuleren, afbestellen, afgelasten
20 aap
21 lade, schuiflade, la
22 knoop, een knoop leggen, knoest
23 tand
26 griep, influenza

Solutions: ankle, appetite, barley, bean, cancel, drawer, flu, hay, holly, knit, knot, lieutenant, linen, metre, monastery, monkey, moustache, peel, peninsula, pike, poison, prescription, rim, rocket, snake, spider, thread, tooth, translate, wheat. (30 words). See www.websters-online-dictionary.org

Puzzle #93: Level 1 - Difficult

© Philip M. Parker, INSEAD; www.websters-online-dictionary.org

Across

1 paraplu
6 donder, donderen, bulderen
10 kieuw
11 slikken, zwaluw, doorslikken
13 kern, pit
15 kleverig, plakkerig
17 dagvaarding, assignatie, exploot
19 fontein, bron, kwel
22 driehoek, triangel
23 aanpassing, adaptatie, bewerking
25 inkt, inkten
27 aandeelhouder
28 vriezen, bevriezen, diepvriezen

Down

2 vluchteling, uitgewekene
3 kudde, drift, roedel
4 versnelling, acceleratie, bevordering
5 kogel
7 asiel, toevluchtsoord, vrýplaats
8 rot, verrot, bedorven
9 hoesten, hoest
12 fluiten, fluitje, gieren
14 lepel, eetlepel, pollepel
16 nagel, nagelen, draadnagel
18 mozaïek
20 stapelen, opeenhopen, opstapelen
21 slager, slachten, afslachten
24 dief, dievegge, steler
26 klep, schuif, ventiel
27 zuur, bars, doordringend
29 dierentuin

Solutions: acceleration, adaptation, asylum, bullet, butcher, cough, fountain, freeze, gill, herd, ink, mosaic, nail, nucleus, refugee, rotten, shareholder, sour, spoon, stack, sticky, summons, swallow, thief, thunder, triangle, umbrella, valve, whistle, zoo. (30 words). See www.websters-online-dictionary.org

Puzzle #94: Level 1 - Difficult

© Philip M. Parker, INSEAD; www.websters-online-dictionary.org

Across

1 bagage
3 geur, lucht, reuk
6 uil
10 kompas, passer
11 daglicht
14 kerrie, roskammen, afrossen
16 portiek, zuilengang, overdekte zuilengang
18 baard
19 eed, bezwering
21 kikker, kikvors
23 parel
24 vegen, bezemen, oprit
27 worst, beuling
28 anaal
29 haag, heg, steg

Down

2 akoestisch
4 drempel, dorpel
5 abt
7 rem, remmen, afremmen
8 vuist, knuist
9 houtskool, dovekool
12 anker, ankeren, verankeren
13 klimop
15 peper, peperen
16 varkensvlees
17 graven, opgraven, rooien
20 aarzelen, dubben, schoorvoeten
22 gehucht, buurtschap, vlek
25 mos
26 vleermuis

Solutions: abbot, acoustic, anal, anchor, bat, beard, brake, charcoal, compass, curry, daylight, dig, fist, frog, hamlet, hedge, hesitate, ivy, luggage, moss, oath, owl, pearl, pepper, porch, pork, sausage, scent, sweep, threshold. (30 words). See www.websters-online-dictionary.org

Puzzle #95:   Level 1 - Difficult

© Philip M. Parker, INSEAD; www.websters-online-dictionary.org

Across

2 aanvrager, verzoeker, adressant
5 hert
6 oppervlakkig, ondiep, licht
9 spanning
12 bibliothecaris
15 kelner, ober
16 kaars, candela, kaarsensterkte
18 afscheiding, secretie
20 koken, borrelen, afkoken
22 olifant
25 hoorn, claxon, toeter
26 boog, toog
27 vorst
28 grens, perk
29 kalksteen

Down

1 fust, vat, ton
3 turf
4 gedenkwaardig, heuglýk, heuglijk
6 stelen, gappen, ontvreemden
7 risico, toeval, toevalligheid
8 mensheid, mensdom
10 elektron
11 breekbaar, broos, fragiel
13 halfrond, hemisfeer
14 persen, drukken, knellen
17 dubbelzinnig, dubbelslachtig, tweeslachtig
19 gil, schreeuw, schreeuwen
21 fluisteren, fluistering, gefluister
23 proza
24 handdoek

Solutions: ambiguous, applicant, arc, barrel, boil, candle, deer, electron, elephant, fragile, frontier, frost, hazard, hemisphere, horn, librarian, limestone, mankind, memorable, peat, prose, scream, secretion, squeeze, steal, superficial, towel, voltage, waiter, whisper. (30 words). See www.websters-online-dictionary.org

Puzzle #96: Level 1 - Very Difficult

© Philip M. Parker, INSEAD; www.websters-online-dictionary.org

Across

2 skiën
3 stam, volksstam, geslacht
7 begraafplaats, kerkhof
9 wissen, afdrogen, afvegen
11 beurs, portemonnee, geldbuidel
14 herenhuis
16 onvolledig, incompleet
21 montage, zetting, beklimming
22 toevallig, accidenteel, incidenteel
23 poëtisch, dichterlijk, dichterlýk
25 vaarwel, adieu, afscheid
27 hol, ingevallen, diepliggend
28 pakje, kavel, perceel

Down

1 geweer, roer
2 abonnement, contributie, býdrage
4 ader, aderen, marmeren
5 draak, vlieger
6 neuken, naaien, schroef
7 schoorsteen, rookkanaal, kachelpýp
8 stam, boomstam, koffer
10 zuiverheid, helderheid, kuisheid
12 gleuf, sleuf, groef
13 gehoorzamen
15 zadel, zaal
17 baan, oogkas
18 hoofdkussen, kussen
19 kleinhandelaar, detailhandelaar
20 steek, stikken
24 kurk
26 pop, tonnetje

Solutions: accidental, cemetery, chimney, cork, doll, dragon, farewell, hollow, incomplete, mansion, mounting, obey, orbit, parcel, pillow, poetic, purity, purse, retailer, rifle, saddle, screw, ski, slot, stitch, subscription, tribe, trunk, vein, wipe. (30 words). See www.websters-online-dictionary.org

Puzzle #97: Level 1 - Very Difficult

Across

5 onderdrukken, opkroppen, verdringen
8 beek, beekje
11 nuchter, bezadigd, matig
12 weergeven, reproduceren
13 knoop, knooppunt, geleding
14 astma, aamborstigheid
17 verwarming, kachel
19 huisvrouw, vrouw des huizes
20 slachten, afslachten
22 filosoof, wijsgeer, wýsgeer
23 kalf, kuit
24 kruik, kan, bak
25 briefkaart
28 vliegtuig, vliegmachine
29 teen
30 hindernis, belemmering, beletsel

Down

1 lidmaat, lid, ledemaat
2 kachel, oven
3 afbraak, sloop, ontmanteling
4 nieuwtje, nieuwigheid, nieuws
6 pand, onderpand, borgstelling
7 piramide
9 bederven, beschadigen, havenen
10 loof, gebladerte, bladertooi
15 bril
16 voering
18 isolatie, isolering
21 zonsondergang
26 feuilleton, vervolgverhaal, serieel
27 bier

© Philip M. Parker, INSEAD; www.websters-online-dictionary.org

Solutions: aeroplane, ale, asthma, brook, calf, demolition, foliage, heater, housewife, insulation, jug, limb, lining, node, novelty, obstacle, philosopher, pledge, postcard, pyramid, reproduce, serial, slaughter, sober, spectacles, spoil, stove, sunset, suppress, toe. (30 words). See www.websters-online-dictionary.org

Puzzle #98:   Level 1 - Very Difficult

© Philip M. Parker, INSEAD; www.websters-online-dictionary.org

Across

1 ambassade, ambassadegebouw, gezantschap
5 ezel
7 kaap, Kaaps
10 opstand, onlusten, muiterý
11 voorlopig, týdelýk, tijdelijk
13 kooi
14 steken, angel, prikken
15 lomp, honds, onbeleefd
18 trap, opgang, trappenhuis
20 zuivelfabriek, melkinrichting
21 kwantitatief
22 boekje, libretto, operatekst
24 kling, lemmet, lemmer
25 berekenen, calculeren, rekenen
27 capuchon, kap, motorkap
28 draagbaar

Down

2 faillissement, bankroet, failliet
3 benoemen, aanstellen
4 gal, galnoot, plantengal
6 orkaan
8 mouw
9 onbedorvenheid, onschuld, schuldeloosheid
12 onweerstaanbaar
16 retoriek, rederýkerskunst, rederijkerskunst
17 verdienen, verdienste, toekomen
18 vonk, sprank, elektrische vonk
19 blaffen, schors, boomschors
22 balkon
23 zweer, ulcus
26 kaak, kakement, de kaak

Solutions: appoint, balcony, bankruptcy, bark, blade, booklet, cage, calculate, cape, dairy, donkey, embassy, gall, hood, hurricane, innocence, irresistible, jaw, merit, portable, provisional, quantitative, rebellion, rhetoric, rude, sleeve, spark, staircase, sting, ulcer. (30 words). See www.websters-online-dictionary.org

Puzzle #99: Level 1 - Very Difficult

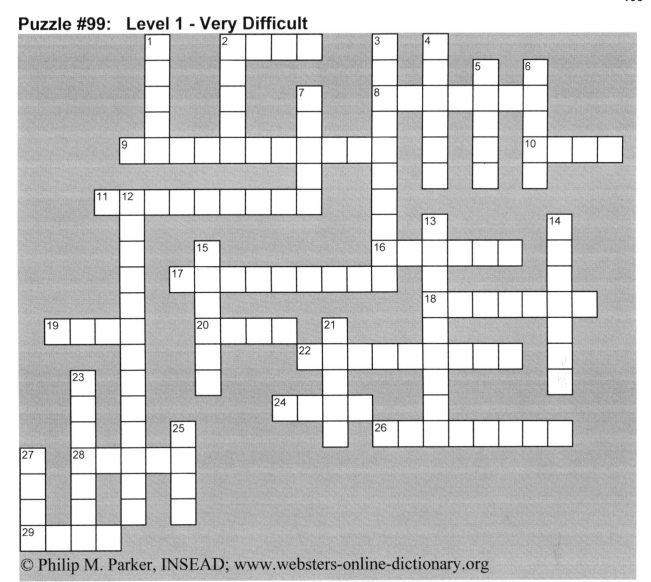

© Philip M. Parker, INSEAD; www.websters-online-dictionary.org

Across

2 den, denneboom, pijnboom
8 zwavel
9 bezittingen, boeltje, eigendommen
10 lui
11 begeleiden, vergezellen, accompagneren
16 gekookt
17 pakhuis, magazijn, magazýn
18 twaalfde
19 bankschroef, gebrek, ondeugd
20 boog, boogvormig bouwsel, gewelf
22 auteursrecht, kopýrecht, kopijrecht
24 vouwen, plooien, omvouwen
26 bedreigen, dreigen, belagen
28 slaaf, slavin
29 begraven, kuilen, ter aarde bestellen

Down

1 lading, carga, goederen
2 pols, polsslag, tel
3 aandrang
4 fluweel, fluwelen, velours
5 as, schacht, drýfas
6 boren, boor, boormachine
7 fee, feeëriek, geest
12 aanvullend, complementair
13 bak, doos, etui
14 haastig, gehaast, inderhaast
15 leeg, onbezet, open
21 gietvorm, modelleren, vorm
23 pleister, stukadoren, bepleisteren
25 riet
27 werkwoord

Solutions: accompany, arch, bury, cargo, complementary, container, cooked, copyright, drill, fairy, fold, hastily, insistence, lazy, mould, pine, plaster, possessions, pulse, reed, shaft, slave, sulphur, threaten, twelfth, vacant, velvet, verb, vice, warehouse. (30 words). See www.websters-online-dictionary.org

Puzzle #100:   Level 1 - Very Difficult

© Philip M. Parker, INSEAD; www.websters-online-dictionary.org

Across

5 mengen, mixen, vermengen
6 beschermheer, beschermheilige, begunstiger
8 kers
9 deemoedig, nederig, onderdanig
12 tuinman, hovenier, tuinier
14 gebogen, krom
15 adel, edelen, adeldom
17 strengheid, hardheid, strafheid
19 neef, oomzegger
20 stoffig
21 bedroefdheid, treurigheid, zieleleed
24 getuigenis, attest, certificaat
26 beleg, belegering
27 ontslaan, ontzetten, royeren
28 harnas, pantser, bepantsering
29 aanhanger, lid, lidmaat
30 stapel, accumuleren, hoop

Down

1 alfa
2 minderwaardig, inferieur, ondeugdelýk
3 zakdoek
4 karton, kartonnen, bordpapier
7 zweep, doorroeren, omroeren
10 bewonderen
11 werkplaats, atelier
13 dankbaarheid, dank, dankzegging
16 dikte, lývigheid, lijvigheid
18 dun, luchtig, mager
22 box, stal
23 vloeken, zweren, een eed afleggen
25 bovenbeen, dij, dý

Solutions: admire, alpha, armour, blend, cardboard, cherry, curved, dismiss, dusty, gardener, gratitude, handkerchief, heap, humble, inferior, nephew, nobility, patron, sadness, severity, siege, slender, stall, supporter, swear, testimony, thickness, thigh, whip, workplace. (30 words). See www.websters-online-dictionary.org

Solutions

Puzzle #1. Across: 3. ander = other, 6. hier = here, 8. en = and, 9. nacht = night, 10. meer = more, 11. macht = power, 13. niets = nothing, 16. weten = know, 17. de = the, 18. voor = before, 19. met = with, 20. een = one, 21. klein = small, 23. dat = that, 25. ja = yes, 27. lang = long. **Down:** 1. drie = three, 2. groep = group, 3. oud = old, 4. rechts = right, 5. niet = not, 7. nemen = take, 10. veel = many, 12. willen = want, 13. nieuw = new, 14. goed = good, 15. wanneer = when, 17. twee = two, 18. omdat = because, 19. wat = what, 21. zeggen = say, 22. links = left, 24. hoe = how, 26. tweede = second.

Puzzle #2. Across: 3. ze = they, 4. waarom = why, 7. hebben = have, 9. huis = house, 10. zes = six, 12. tussen = between, 15. dag = day, 17. wereld = world, 18. einde = end, 19. plaats = place, 20. vorm = form, 23. door = through, 24. werken = work, 27. iets = something, 28. openbaar = public, 30. vaak = often, 31. geld = money, 32. zien = see. **Down:** 1. daar = there, 2. veel = much, 4. waar = where, 5. lokaal = local, 6. geven = give, 8. gebied = area, 11. van = from, 13. dan = than, 14. getal = number, 16. jaar = year, 20. vier = four, 21. misschien = perhaps, 22. staat = state, 25. punt = point, 26. denken = think, 29. komen = come.

Puzzle #3. Across: 1. rug = back, 5. nog = still, 8. hoog = high, 10. in = into, 11. alleen = only, 13. zetten = put, 16. mensen = people, 18. betekenen = mean, 20. onze = our, 21. nodig hebben = need, 23. regering = government, 24. wie = who, 25. je = you, 26. dit = this, 27. gebruik = use. **Down:** 2. land = country, 3. zeggen = tell, 4. opnieuw = again, 6. klein = little, 7. nu = now, 9. thuis = home, 12. dons = down, 14. inblikken = can, 15. gedachte = thought, 16. deel = part, 17. leven = life, 18. most = must, 19. altijd = always, 22. je = your, 26. keer = time.

Puzzle #4. Across: 4. hoofd = head, 6. beide = both, 8. vinden = find, 10. al = already, 12. belangrijk = important, 14. achter = after, 16. vijf = five, 17. onder = under, 19. sommige = some, 20. sedert = since, 21. vervolgens = then, 24. worden = become, 25. kamer = room, 26. tegen = against, 27. zoals = like. **Down:** 1. hun = their, 2. nog = yet, 3. erg = very, 5. ook = also, 6. beter = better, 7. minder = less, 9. verschillend = different, 11. groot = large, 13. dingen = things, 15. eerste = first, 16. feit = fact, 18. nooit = never, 22. firma = company, 23. staande = while, 24. maar = but.

Puzzle #5. Across: 1. baan = way, 3. eerstkomend = next, 4. zijn = his, 8. tof = great, 9. geval = case, 13. al = though, 14. voor = for, 15. elk = each, 16. bezitten = own, 17. hem = him, 20. zelfs = even, 21. gedurende = during, 25. over = about, 26. echter = however, 27. tot = until, 28. jong = young. **Down:** 2. alhoewel = although, 5. buiten = out, 6. dit = these, 7. ontwikkeling = development, 9. raad = council, 10. behoren = should, 11. meest = most, 12. blik = look, 13. ding = thing, 18. echt = really, 19. binnen = within, 22. feest = party, 23. eveneens = too, 24. goed = well.

Puzzle #6. Across: 2. zonder = without, 4. baseren = found, 5. zij = she, 7. meer = further, 9. kant = side, 10. testament = will, 12. een of ander = any, 13. allemaal = all, 16. hen = them, 17. dat = those, 18. dito = same, 21. haar = her, 22. alleen = just, 24. bestaanbaar = possible, 25. behalen = get, 26. handel = business, 27. welke = which. **Down:** 1. min of meer = quite, 3. dergelijke = such, 6. zelf = himself, 7. gelaat = face, 8. heen = away, 11. achterste = last, 12. bekwaam = able, 13. bijna = almost, 14. ander = another, 15. haar = its, 19. genoeg = enough, 20. afgelopen = done, 23. gebruikt = used.

Puzzle #7. Across: 4. miljoen = million, 8. vilt = felt, 9. auto = car, 11. beschikbaar = available, 12. stad = city, 14. of = whether, 18. zwart = black, 20. rente = interest, 22. groot = big, 23. vrouw = woman, 25. deur = door, 26. rapport = report, 27. derde = third. **Down:** 1. vol = full, 2. naam = name, 3. beleid = policy, 4. moeder = mother, 5. vader = father, 6. lezen = read, 7. wit = white, 10. zonder = without, 13. morgen = morning, 15. tafel = table, 16. dood = death, 17. gezondheid = health, 19. om = around, 21. idee = idea, 22. boek = book, 23. oorlog = war, 24. weg = road.

Puzzle #8. Across: 2. veranderen = change, 7. geloven = believe, 8. achter = behind, 9. rennen = run, 10. liever = rather, 11. lichaam = body, 13. ver = far, 14. gemeenschap = community, 16. vandaag = today, 17. boven = above, 19. liefde = love, 20. tonen = show, 21. dienst = service, 22. verscheidene = several, 23. eens = once, 24. opvoeding = education, 25. tien = ten. **Down:** 1. kwestie = question, 2. kind = child, 3. vroeg = early, 4. geest = mind, 5. onderzoek = research, 6. steun = support, 10. rond = round, 12. betalen = pay, 15. middel = means, 18. samen = together, 19. niveau = level, 22. zaag = saw, 23. kantoor = office.

Puzzle #9. Across: 5. acteren = act, 6. kerk = church, 8. zullen = shall, 10. aanzetten = start, 12. voelen = feel, 13. proberen = try, 14. laten = let, 15. aanmaak = making, 18. wet = law, 19. file = line, 21. werk = job, 22. ooit = ever, 25. zuiden = south, 27. naar = towards, 28. belevenis = experience. **Down:** 1. zelf = itself, 2. bestellen = order, 3. als volgt = thus, 4. verleden = past, 6. helder = clear, 7. lastig = difficult, 9. tussen = among, 11. leeftijd = age, 15. beheer = management, 16. gratis = free, 17. eens = sometimes, 20. betekenis = sense, 23. uitzicht = view, 24. aard = kind, 26. aan = upon.

Puzzle #10. Across: 5. bestuur = control, 7. inderdaad = actually, 9. taal = language, 10. geschiedenis = history, 13. aard = sort, 15. lid = member, 16. zeven = seven, 17. iets = anything, 19. sluiten = close, 20. leden = following, 23. ander = else, 26. lucht = air, 28. allicht = probably, 29. geheel = whole. **Down:** 1. stem = voice, 2. noorden = north, 3. afgezonderd = particular, 4. voornaamste = main, 6. kruiselings = across, 8. zich bekommeren = care, 11. sterk = strong, 12. gisteren = yesterday, 14. daarom = therefore, 18. afname = taking, 19. gewis = certain, 21. behouden = keep, 22. effectief = real, 24. leven = live, 25. klasse = class, 27. het hof maken = court.

Puzzle #11. Across: 5. cursus = course, 6. vragen = ask, 7. waarde = value, 8. acht = eight, 13. spelen = play, 14. maand = month, 15. autoriteit = authority, 18. kosten = cost, 19. vriend = friend, 20. weinig = few, 21. iemand = someone, 22. tegenwoordig = present, 25. woord = word, 26. bereik = range, 27. vergadering = meeting, 28. muziek = music. **Down:** 1. kwaliteit = quality, 2. bewegen = move, 3. prijs = price, 4. podium = stage, 9. grond = ground, 10. arm = poor, 11. notulen = minutes, 12. papier = paper, 16. honderd = hundred, 17. twintig = twenty, 19. voedsel = food, 22. ouders = parents, 23. stad = town, 24. vrouw = wife.

Puzzle #12. Across: 1. draaien = turn, 3. weggaan = leave, 6. belasting = tax, 9. behelzen = include, 11. kavel = lot, 12. handel = trade, 14. rusten = rest, 15. ongehuwd = single, 19. uitgeven = issue, 20. toekomst = future, 21. buiten = outside, 22. benodigd = necessary, 25. brengen = bring, 26. doorgaans = usually. **Down:** 2. vereniging = union, 4. verschillend = various, 5. wiens = whose, 6. juist = true, 7. aangelegenheid = matter, 8. oefenen = practice, 10. comité = committee, 13. verstaan = understand, 14. gedenken = remember, 15. straat = street, 16. meisje = girl, 17. eeuw = century, 18. vooral = especially, 20. buitenlands = foreign, 23. gauw = soon, 24. equipe = team.

Puzzle #13. Across: 1. gewis = sure, 4. zelf = herself, 6. rol = role, 12. algemeen = common, 14. horen = hear, 15. bepaling = terms, 18. fris = recent, 20. vermeerderen = increase, 22. meneer = sir, 23. verstand = reason, 24. verenigd = united, 25. beslissing = decision, 27. helder = clearly, 28. oosten = east, 29. bepaald = certainly. **Down:** 2. evenredigheid = rate, 3. besloten = private, 5. overkomen = seem, 7. grondstof = data, 8. afknotten = top, 9. kennis = knowledge, 10. verleden = former, 11. ziekenhuis = hospital, 13. kort = short, 16. allemaal = everything, 17. wel = indeed, 19. afkomstig = coming, 21. noemen = call, 22. soortgelijk = similar, 26. aanstaand = near.

Puzzle #14. Across: 1. druk = pressure, 4. muur = wall, 8. vis = fish, 10. brief = letter, 11. bevolking = population, 16. rood = red, 17. milieu = environment, 19. praten = talk, 22. groei = growth, 25. onderwerp = subject, 27. dorp = village, 28. uur = hour, 29. zee = sea, 30. slecht = bad. **Down:** 2. risico = risk, 3. grootte = size, 5. rekening = account, 6. verloren = lost, 7. olie = oil, 9. hart = heart, 12. kunst = art, 13. negen = nine, 14. venster = window, 15. eenheid = unit, 18. licht = light, 20. spel = game, 21. wetenschap = science, 23. haar = hair, 24. lood = lead, 26. bloed = blood.

Puzzle #15. Across: 1. verlies = loss, 3. kracht = force, 4. fout = wrong, 6. dadel = date, 8. snavel = bill, 10. gelukkig = happy, 12. verhaal = story, 14. pers = press, 16. binnen = inside, 18. beweging = movement, 19. bezoek = visit, 22. ontmoeten = meet, 25. echtgenoot = husband, 27. aandacht = attention, 28. avond = evening. **Down:** 2. zekerheid = security, 3. boete = fine, 5. nieuws = news, 7. winkel = shop, 8. kopen = buy, 9. laat = late, 11. alstublieft = please, 13. verschil = difference, 15. zoon = son, 17. volledig = complete, 20. bedanken = thank, 21. bedrag = amount, 23. vuur = fire, 24. kopje = cup, 26. koning = king.

Puzzle #16. Across: 3. waarde = worth, 7. duizend = thousand, 9. aandeel = share, 11. tuin = garden, 12. ruimte = space, 14. laag = low, 15. knippen = cut, 16. lijst = list, 17. antwoorden = answer, 21. voorbeeld = example, 24. terugkeren = return, 25. beetje = bit, 26. verdieping = floor, 27. aangenaam = nice, 29. behandeling = treatment. **Down:** 1. schrijven = write, 2. houden = hold, 4. poging = attempt, 5. roos = rose, 6. eigendom = property, 8. ernstig = serious, 10. veld = field, 13. gauw = quickly, 15. actueel = current, 18. mezelf = myself, 19. beneden = below, 20. bouw = building, 22. misschien = maybe, 23. inkomen = income, 28. dragen = carry.

Puzzle #17. Across: 3. stijl = style, 5. langs = along, 9. plank = board, 10. plaat = record, 11. leger = army, 12. bloei = success, 14. koppelen = couple, 15. verleden = previous, 18. kleur = colour, 20. dood = dead, 21. haast = nearly, 22. gebeurtenis = event, 25. onlangs = recently, 27. familiebetrekking = relationship, 28. betekenisvol = significant. **Down:** 1. precies = exactly, 2. aanvaller = forward, 4. dwars door = throughout, 6. kruiden = season, 7. opleveren = produce, 8. beschuldiging = charge, 9. jongen = boy, 13. geschikt = appropriate, 15. afbeelding = picture, 16. klinken = sound, 17. staan = stand, 19. afspraak = agreement, 23. keuze = choice, 24. tekening = design, 26. hal = hall.

Puzzle #18. Across: 1. incidenteel = chance, 5. blauwdruk = scheme, 7. blijven = stay, 8. per saldo = finally, 10. in weerwil van = despite, 11. zomer = summer, 13. afdraaien = lower, 15. ronddelen = deal, 16. verderop = beyond, 21. noords = northern, 23. gebeuren = opportunity, 26. graafschap = county, 27. oorzaak = cause, 28. wat dan ook = whatever, 29. colli = goods. **Down:** 2. menselijk = human, 3. beschouwen = consider, 4. goed = okay, 6. betrokken = concerned, 9. benaderen = approach, 11. opeens = suddenly, 12. aanhouden = continue, 14. arbeiders = workers, 17. laten = allow, 18. aanspraak maken op = claim, 19. gewrocht = product, 20. medium = resources, 22. menen = suppose, 24. reglement = rules, 25. begeren = wish.

Puzzle #19. Across: 3. blýkbaar = obviously, 4. schriftelijk = written, 6. goud = gold, 7. licht = easy, 8. leraar = teacher, 14. bewust = aware, 15. tenzij = unless, 17. doorgaans = generally, 18. situatie = circumstances, 21. evenmin = nor, 22. er uitzien = appear, 23. gewicht = weight, 25. aalwaardig = simple, 26. oeuvre = works, 27. koud = cold, 28. nadenkend = thinking. **Down:** 1. koninklijk = royal, 2. uzelf = yourself, 5. nuttig = useful, 6. groen = green, 7. afhalen = expect, 9. zwaar = heavy, 10. subiet = immediately, 11. blauw = blue, 12. bloedverwanten = relations, 13. mooi = beautiful, 16. omzet = sales, 19. benaderen = approach, 20. gevoel = feeling, 24. beproefd = tried.

Puzzle #20. Across: 4. recht = straight, 6. spreken = speak, 7. soort = species, 11. ster = star, 13. winst = profit, 14. rivier = river, 15. boom = tree, 16. pond = pound, 17. oog = eye, 20. voorzitter = chairman, 21. huid = skin, 23. keuken = kitchen, 24. mond = mouth, 25. hout = wood, 27. brug = bridge, 28. werkloosheid = unemployment. **Down:** 1. bruin = brown, 2. fysisch = physical, 3. nek = neck, 5. voet = foot, 7. bron = source, 8. duur = expensive, 9. eten = eat, 10. zin = sentence, 11. slapen = sleep, 12. regen = rain, 18. nauw = narrow, 19. afstand = distance, 22. bibliotheek = library, 26. donker = dark.

Puzzle #21. Across: 1. begroting = budget, 5. adres = address, 7. regelmatig = regular, 9. bal = ball, 10. koffie = coffee, 13. krediet = credit, 14. snelheid = speed, 15. bouwen = build, 16. gevangenis = prison, 18. oplossing = solution, 19. thee = tea, 20. paard = horse, 21. breken = break, 23. zacht = soft, 25. heuvel = hill, 26. spoorweg = railway, 27. betekenis = meaning. **Down:** 1. achtergrond = background, 2. droog = dry, 3. twaalf = twelve, 4. bos = forest, 6. glimlachen = smile, 8. ongeval = accident, 11. vers = fresh, 12. uitrusting = equipment, 14. vreemd = strange, 17. vierde = fourth, 20. heet = hot, 22. vliegtuig = aircraft, 24. gesloten = closed.

Puzzle #22. Across: 2. lopen = walk, 5. geweld = violence, 7. zon = sun, 8. lidmaatschap = membership, 9. zitten = sit, 13. vrede = peace, 14. dochter = daughter, 15. broer = brother, 16. veiligheid = safety, 17. geen = none, 21. aanvallen = attack, 23. zuster = sister, 24. gereed = ready, 26. horloge = watch, 27. weer = weather, 28. verzekering = insurance, 29. angst = fear. **Down:** 1. getrouwd = married, 3. winnen = win, 4. krant = newspaper, 6. contant = cash, 10. morgen = tomorrow, 11. geheugen = memory, 12. waarheid = truth, 16. vierkant = square, 18. leeg = empty, 19. lucifer = match, 20. patroon = pattern, 22. graad = degree, 25. hond = dog.

Puzzle #23. Across: 1. juist = correct, 4. boot = boat, 6. reizen = travel, 9. verkiezing = election, 11. voetbal = football, 12. hel = hell, 13. luisteren = listen, 16. paar = pair, 17. misdaad = crime, 20. pad = path, 23. dun = thin, 24. aanraken = touch, 25. welkom = welcome, 28. voorkant = front, 29. gemiddeld = average. **Down:** 1. schoon = clean, 2. dertig = thirty, 3. bericht = message, 5. eigenaar = owner, 7. stilte = silence, 8. gewricht = joint, 10. cel = cell, 14. bedreiging = threat, 15. tak = branch, 18. meester = master, 19. snel = fast, 21. ziekte = disease, 22. stil = quiet, 26. leggen = lay, 27. stemmen = vote.

Puzzle #24. Across: 3. stevig = firm, 6. kiezen = choose, 8. stoel = chair, 9. beletten = prevent, 11. evenmin = neither, 12. uitgeven = spend, 13. diep = deep, 15. mannetje = male, 16. sleutel = key, 17. afbeelding = image, 18. wachten = wait, 20. slaan = hit, 21. rede = speech, 23. sturen = send, 24. tekenen = draw, 25. verkopen = sell, 26. leren = learn, 27. gebeuren = happen. **Down:** 1. doos = box, 2. buurt = quarter, 3. veertig = forty, 4. ontvangen = receive, 5. middag = afternoon, 6. hoek = corner, 7. schub = scale, 10. sterkte = strength, 12. ergens = somewhere, 14. bescherming = protection, 19. mening = opinion, 22. redden = save.

Puzzle #25. Across: 6. motor = engine, 7. niemand = nobody, 8. toegang = access, 9. been = leg, 10. kopiëren = copy, 11. kruisen = cross, 13. bang = afraid, 15. vergeten = forget, 16. gevaar = danger, 17. verspreiden = spread, 20. gebruiker = user, 22. verliezen = lose, 25. bestaan = existence, 26. rechter = judge, 27. geboorte = birth, 28. kapitein = captain. **Down:** 1. gesprek = conversation, 2. overwinning = victory, 3. beer = bear, 4. plezier = pleasure, 5. kasteel = castle, 10. kapitaal = capital, 12. staking = strike, 14. verrassen = surprise, 18. aantonen = prove, 19. diner = dinner, 21. koningin = queen, 23. vechten = fight, 24. gewoon = usual, 27. autobus = bus.

Puzzle #26. Across: 1. uitleggen = explain, 4. steen = stone, 6. stuk = piece, 9. oppervlakte = surface, 10. tekenen = sign, 11. aanvoerder = leader, 12. optellen = add, 14. bekwaamheid = ability, 17. vertrouwen = trust, 19. ontwikkelen = develop, 20. langzaam = slowly, 21. recensie = review, 22. noot = note, 23. vallen = fall, 24. toepassen = apply, 25. tekst = text, 26. stap = step. **Down:** 1. kant = edge, 2. gebrek = lack, 3. dekken = cover, 5. gaan staan = rise, 7. karakter = character, 8. ligging = site, 9. smid = smith, 13. richting = direction, 15. invloed = influence, 16. dame = lady, 18. scheiden = separate, 20. aanvoer = supply, 21. regel = rule.

Puzzle #27. Across: 3. baan = track, 6. moord = murder, 7. geest = spirit, 10. tweemaal = twice, 11. veilig = safe, 15. desondanks = nevertheless, 17. wijn = wine, 18. wel = surely, 19. kaart = card, 20. verbeteren = improve, 21. bron = spring, 22. doel = goal, 26. vooruitgang = progress, 27. schade = damage, 28. dubbel = double, 29. eisen = require. **Down:** 1. kritiek = critical, 2. pijn = pain, 4. geschikt = suitable, 5. bril = seat, 8. scène = scene, 9. meten = measure, 12. archief = records, 13. vormen = shape, 14. vermogend = rich, 16. gerechtigheid = justice, 20. onbestaanbaar = impossible, 23. kapot = broken, 24. manier = manner, 25. ras = race.

Puzzle #28. Across: 3. betaling = payment, 5. dommekracht = jack, 6. loslaten = release, 9. bronst = heat, 10. leidend = leading, 12. slaan = beat, 14. minst = least, 15. verpakken = package, 17. geloof = belief, 19. doel = purpose, 20. bekronen = crown, 22. breed =

broad, 24. beschrijving = description, 25. dank = thanks, 26. nadruk = emphasis, 27. bestuurder = driver. **Down:** 1. taak = task, 2. onderzoek = investigation, 4. sterven = die, 7. aangifte = statement, 8. adem = breath, 11. verantwoordelijk = responsible, 13. betitelen = title, 16. expositie = exhibition, 18. opvolgen = follow, 19. behoeden = protect, 20. steenkool = coal, 21. alternatief = option, 22. bodem = bottom, 23. gebeuren = occur.

Puzzle #29. Across: 1. geslacht = sex, 3. bereiken = reach, 6. praktisch = practical, 7. amper = hardly, 9. echec = failure, 11. opslaan = stock, 12. moeite = effort, 14. een of ander = somebody, 18. begrensd = limited, 20. ontroerend = moving, 25. schriftuur = writing, 26. overeenstemmen = agree, 27. creëren = create, 28. bond = league, 30. in plaats daarvan = instead. **Down:** 2. gezegde = expression, 4. centrale = exchange, 5. carrière = career, 8. plicht = duty, 10. verbinden = join, 13. inning = collection, 15. apert = obvious, 16. bezwaar = trouble, 17. oefenen = exercise, 19. echt = marriage, 21. gigantisch = huge, 22. bericht = notice, 23. belang = concern, 24. verkoop = sale, 29. hulp = aid.

Puzzle #30. Across: 1. rustdag = holiday, 6. bescheiden = reasonable, 9. binnenlands = domestic, 11. boerderij = farm, 13. plukken = pick, 15. misschien = possibly, 16. wiegen = rock, 20. bergpas = pass, 24. richtmiddel = sight, 25. begrip = understanding, 26. aanpassen = fit, 27. aanvaard = accepted, 28. beslissen = decide. **Down:** 2. belangstellend = interested, 3. begrip = concept, 4. keurig = proper, 5. eerder = previously, 7. beest = animal, 8. genieten = enjoy, 10. kermis = fair, 11. befaamd = famous, 12. boers = rural, 14. fiducie = confidence, 15. machtig = powerful, 17. kabinet = cabinet, 18. gevecht = battle, 19. koninkrijk = kingdom, 21. dingen = stuff, 22. circulatie = traffic, 23. berechting = trial.

Puzzle #31. Across: 2. uitdaging = challenge, 4. zich bekommeren = worry, 5. fokken = raise, 6. afnemer = client, 10. houding = attitude, 11. bespreken = discuss, 14. uitzonderen = except, 17. glanzend = bright, 21. vaak = frequently, 23. afboeken = transfer, 24. vrouwtje = female, 26. elders = elsewhere, 27. landgoed = estate, 28. montage = assembly, 29. bedenken = imagine, 30. klein = tiny. **Down:** 1. wetenschappelijk = scientific, 3. kans = possibility, 7. bestaan = exist, 8. gedurende = whilst, 9. afzoeken = search, 12. aardig = pretty, 13. naast = beside, 15. naar behoren = properly, 16. beslist = absolutely, 18. gelaatstrek = feature, 19. bedekt = covered, 20. doel = target, 22. montuur = setting, 25. stedelijk = urban.

Puzzle #32. Across: 1. traktaat = treaty, 3. geloof = faith, 5. aanvoerder = chief, 6. kans = possibility, 9. bezet = busy, 11. slechter = worse, 12. begeerte = desire, 14. concurrentie = competition, 15. geboren = born, 17. pré = benefit, 18. kleding = clothes, 22. afgesproken = agreed, 23. wetgeving = legislation, 24. meerderheid = majority, 25. inzonderheid = mainly, 26. ouder = older, 27. ruim = wide. **Down:** 2. aanwending = employment, 3. geheel = fully, 4. vijftig = fifty, 5. geruim = considerable, 7. keer = occasion, 8. tegenwoordig = currently, 10. toerekenbaarheid = responsibility, 13. aardig = relatively, 14. voorzichtig = careful, 16. resten = remain, 19. eisen = demand, 20. allicht = easily, 21. oprit = drive.

Puzzle #33. Across: 2. ampel = detailed, 6. eliminatie = output, 7. bezwaar = difficulty, 10. pa = dad, 11. beeldig = lovely, 13. aanslag = assessment, 15. oosters = eastern, 17. duur = dear, 19. bereiken = achieve, 20. gewoon = ordinary, 22. allemachtig = extremely, 23. benodigdheden = materials, 25. bloedig = bloody, 26. gepast = becoming. **Down:** 1. bedwingen = check, 2. dubben = doubt, 3. even = equally, 4. verlichting = relief, 5. afgelopen = finished, 8. fonds = fund, 9. gedurende = whereas, 12. in toenemende mate = increasingly, 13. pré = advantage, 14. genoeg = sufficient, 15. geheel = entirely, 16. vlotheid = freedom, 18. gevogelte = birds, 19. daarvoor = ahead, 21. effectief = actual, 24. aanleggen = aim.

Puzzle #34. Across: 4. gevaarlijk = dangerous, 5. het mijne = mine, 10. inrichten = establish, 13. aangedaan = affected, 14. aardig = fairly, 15. daags = daily, 16. bediening = waiting, 18. zuidelijk = southern, 20. opzoeken = seek, 21. argumenteren = maintain, 22. aanblik = appearance, 25. vannacht = tonight, 27. bovenste = upper, 28. deels = partly, 29. alleen = alone. **Down:** 1. voorzichtig = carefully, 2. beraad = consideration, 3. toegeven = grant, 6. vertoonbaar = apparent, 7. vijftien = fifteen, 8. lezen = reading, 9. ruim = widely, 11. pré = advantage, 12. dieren = animals, 15. paraderen = display, 17. prompt = immediate, 19. binnengaan = enter, 23. aanmelding = entry, 24. eender = equal, 26. gebeuren = grow.

Puzzle #35. Across: 5. bemoeienis = efforts, 7. zuurstof = oxygen, 8. verkocht = sold, 9. neus = nose, 14. alfabet = elements, 15. zout = salt, 18. nat = wet, 19. zilver = silver, 20. meer = lake, 21. fase = phase, 22. jaarlijks = annual, 25. bijdrage = contribution, 26. vleugel = wing, 27. iedereen = everybody, 29. muis = mouse. **Down:** 1. belastend = carrying, 2. uitgegeven = spent, 3. schot = shot, 4. lekker = attractive, 6. bloem = flower, 10. eender = equal, 11. geel = yellow, 12. toenemend = increasing, 13. totaal = overall, 16. blýkbaar = apparently, 17. leren = learning, 19. spreker = speaker, 23. terrein = grounds, 24. zoet = sweet, 28. ei = egg.

Puzzle #36. Across: 1. roken = smoke, 3. vliegen = fly, 7. katoen = cotton, 10. vlucht = flight, 11. trekken = pull, 14. roze = pink, 15. koolstof = carbon, 16. as = ash, 19. been = bone, 20. hypotheek = mortgage, 22. fout = mistake, 23. schouder = shoulder, 24. fenomeen = phenomenon, 26. oor = ear. **Down:** 2. fout = error, 4. blad = leaf, 5. acuut = acute, 6. maag = stomach, 8. melk = milk, 9. hoeveelheid = quantity, 12. deksel = lid, 13. scherm = screen, 17. zand = sand, 18. vlees = meat, 19. borst = breast, 21. zuur = acid, 22. burgemeester = mayor, 23. schaap = sheep, 24. duwen = push, 25. kaart = map.

Puzzle #37. Across: 2. vlag = flag, 5. oraal = oral, 6. reageren = respond, 8. lever = liver, 9. vergunning = licence, 10. zwak = weak, 11. hallo = hello, 12. boer = farmer, 17. konijn = rabbit, 18. sneeuw = snow, 19. lachen = laugh, 21. naald = needle, 23.

woordenboek = dictionary, 26. boter = butter, 27. schedel = skull, 28. maan = moon, 29. knie = knee. **Down:** 1. fles = bottle, 2. brandstof = fuel, 3. middernacht = midnight, 4. bord = plate, 7. paleis = palace, 13. verwant = related, 14. verplichting = obligation, 15. zingen = sing, 16. honing = honey, 20. blok = block, 22. dosis = dose, 24. wolk = cloud, 25. eend = duck.

Puzzle #38. Across: 5. douche = shower, 7. verwarming = heating, 9. broek = trousers, 12. advocaat = lawyer, 13. vet = fat, 14. vinger = finger, 17. top = summit, 18. ritme = rhythm, 19. branden = burn, 20. orkest = orchestra, 22. laars = boot, 23. wassen = wash, 24. luchthaven = airport, 25. nul = zero, 27. beroep = profession, 28. post = mail. **Down:** 1. stof = dust, 2. bemanning = crew, 3. kaas = cheese, 4. mes = knife, 6. gastheer = host, 8. huurder = tenant, 10. herhalen = repeat, 11. werknemer = employee, 15. grootmoeder = grandmother, 16. afdrukken = print, 17. glad = smooth, 19. badkamer = bathroom, 21. zool = sole, 26. ziel = soul.

Puzzle #39. Across: 2. autosnelweg = motorway, 5. duim = thumb, 6. hersenen = brain, 8. negentig = ninety, 11. citroen = lemon, 14. roeren = stir, 15. afval = waste, 17. voorhoofd = forehead, 19. scherp = sharp, 22. onbekend = unknown, 23. blad = sheet, 24. varken = pig, 26. liggen = lie, 27. bol = sphere, 28. lawaai = noise, 29. jeugd = youth. **Down:** 1. proeven = taste, 3. indruk = impression, 4. bisschop = bishop, 7. aansteker = lighter, 9. bestand = file, 10. zenuw = nerve, 12. menigte = crowd, 13. mand = basket, 16. eik = oak, 18. auteur = author, 20. aankoop = purchase, 21. koper = copper, 25. lied = song, 27. sluiten = shut.

Puzzle #40. Across: 3. kanker = cancer, 4. mijl = mile, 6. huilen = cry, 7. baai = bay, 9. kolom = column, 10. schilderen = paint, 11. hoogte = height, 13. suiker = sugar, 16. trots = proud, 20. berg = mountain, 22. gooien = throw, 24. molen = mill, 25. verjaardag = birthday, 26. verbinding = connection, 27. armoede = poverty. **Down:** 1. vertraging = delay, 2. bier = beer, 4. mengsel = mixture, 5. ketting = chain, 7. bad = bath, 8. haven = port, 12. uitzetting = expansion, 14. goedkeuring = approval, 15. klok = clock, 17. ruw = rough, 18. ingang = entrance, 19. elf = eleven, 21. verpleegster = nurse, 23. dik = thick, 25. vogel = bird.

Puzzle #41. Across: 1. straf = punishment, 3. benzine = petrol, 5. douane = customs, 7. wiel = wheel, 8. appel = apple, 9. held = hero, 13. klassiek = classic, 15. zestien = sixteen, 16. koper = buyer, 18. kussen = kiss, 19. gebed = prayer, 21. gast = guest, 23. staart = tail, 25. binden = tie, 27. zwanger = pregnant, 28. les = lesson, 29. gitaar = guitar. **Down:** 2. modus = mode, 3. bezit = possession, 4. bril = glasses, 6. mengen = mix, 10. beroep = occupation, 11. getuige = witness, 12. vlees = flesh, 14. springen = jump, 17. vervanging = replacement, 20. wortel = root, 22. vloot = fleet, 24. piek = peak, 26. blik = tin.

Puzzle #42. Across: 2. spier = muscle, 7. borstel = brush, 9. schieten = shoot, 10. draad = wire, 11. rijst = rice, 14. kunstmatig = artificial, 15. bevroren = frozen, 17. film = movie, 18. schaal = shell, 21. ingenieur = engineer, 22. knop = button, 23. luid = loud, 24. klei = clay, 26. werkplaats = workshop, 27. kip = chicken, 28. roodborstje = robin. **Down:** 1. acteur = actor, 3. uitnodiging = invitation, 4. paus = pope, 5. wol = wool, 6. tandwiel = gear, 8. zeventien = seventeen, 9. strook = strip, 12. scheikunde = chemistry, 13. etiket = label, 16. koper = purchaser, 19. vloeistof = liquid, 20. fysica = physics, 24. kin = chin, 25. vos = fox.

Puzzle #43. Across: 1. boog = bow, 4. veiling = auction, 6. stier = bull, 7. achtste = eighth, 10. kraag = collar, 11. soep = soup, 12. stro = straw, 14. uitgeven = publish, 15. lenen = lend, 17. elektronica = electronics, 19. lam = lamb, 21. beton = concrete, 22. schap = shelf, 23. engel = angel, 24. agressie = aggression, 26. zwemmen = swim, 27. vrachtauto = lorry. **Down:** 1. gal = bile, 2. accu = battery, 3. toerisme = tourism, 5. messing = brass, 6. rundvlees = beef, 8. zalm = salmon, 9. kwalificatie = qualification, 10. kabel = cable, 13. aanbeveling = recommendation, 16. vertaling = translation, 18. laan = avenue, 20. buigen = bend, 25. rok = skirt.

Puzzle #44. Across: 4. vermelden = mention, 6. schild = shield, 7. schip = ship, 9. gebit = teeth, 11. negentien = nineteen, 12. pomp = pump, 16. meel = flour, 17. kuil = hole, 18. as = axis, 20. ademen = breathe, 21. pols = wrist, 23. poeder = powder, 26. helaas = unfortunately, 27. snel = quick, 28. deken = blanket. **Down:** 1. bevestigen = secure, 2. ridder = knight, 3. stam = stem, 5. tiende = tenth, 6. handtekening = signature, 8. heide = heath, 10. toelichting = explanation, 13. leeuw = lion, 14. jacht = yacht, 15. reis = journey, 16. mode = fashion, 19. zweten = sweat, 22. potlood = pencil, 24. kust = coast, 25. elleboog = elbow.

Puzzle #45. Across: 3. boos = angry, 5. nederzetting = settlement, 6. café = pub, 7. kat = cat, 10. benoeming = appointment, 13. vloeien = flow, 15. aarde = soil, 19. lezer = reader, 20. ontbijt = breakfast, 22. beschuldigde = accused, 26. elektriciteit = electricity, 27. ongewoon = unusual, 28. zestig = sixty, 29. antwoorden = reply. **Down:** 1. kanaal = channel, 2. ouder = parent, 4. verzoek = request, 7. klant = customer, 8. decennium = decade, 9. kostbaar = valuable, 11. oneven = odd, 12. spits = pointed, 14. dak = roof, 16. schoonheid = beauty, 17. winkel = store, 18. vrucht = fruit, 21. activa = assets, 23. tachtig = eighty, 24. lening = loan, 25. spiegel = mirror.

Puzzle #46. Across: 2. spanning = tension, 6. geur = smell, 8. bereiding = preparation, 9. stemming = mood, 10. achttien = eighteen, 12. vaardigheid = skill, 15. staal = steel, 16. levering = delivery, 20. ziekte = illness, 22. oom = uncle, 23. tante = aunt, 24. keel = throat, 25. puur = pure, 26. minderheid = minority, 27. zak = pocket. **Down:** 1. moe = tired, 3. bruiloft = wedding, 4. invoer = input, 5. cirkel = circle, 6. gevoelig = sensitive, 7. beloven = promise, 8. filosofie = philosophy, 11. elektrisch = electric, 13. brood = bread, 14. werkgever = employer, 17. dieet = diet, 18. vliegtuig = plane, 19. gezond = healthy, 21. zelf = self, 23. misbruik = abuse.

Puzzle #47. Across: 2. schaduw = shadow, 4. perron = platform, 7. aangenaam = pleasant, 10. oorsprong = origin, 14. baas = boss, 15. bereiden = prepare, 16. verbergen = hide, 19. chirurgie = surgery, 22. aanvaarding = acceptance, 25. uitzondering = exception, 27.

zesde = sixth, 28. haat = hate, 29. garantie = guarantee. **Down:** 1. koel = cool, 3. koken = cook, 5. geneeskunde = medicine, 6. reservoir = tank, 7. overtuigen = persuade, 8. toren = tower, 9. lanceren = launch, 11. ziek = ill, 12. verwardheid = confusion, 13. veertien = fourteen, 17. brood = bread, 18. wekken = wake, 20. geluk = luck, 21. snaar = string, 23. poëzie = poetry, 24. goedkoop = cheap, 26. cadeau = gift.

Puzzle #48. Across: 3. gang = corridor, 5. schoppen = kick, 8. vertrek = departure, 10. room = cream, 12. dertien = thirteen, 13. aanhouding = arrest, 14. jagen = hunt, 16. onderling = mutual, 18. genezen = recover, 22. dagboek = diary, 23. karakteristiek = characteristic, 25. plafond = ceiling, 27. vlakte = plain, 28. bos = woods, 29. bereiden = prepare. **Down:** 1. kaartje = ticket, 2. bezoeker = visitor, 4. afval = rubbish, 6. stevig = stable, 7. barsten = burst, 9. verklaring = declaration, 11. wiskunde = mathematics, 15. gewoonte = habit, 17. betrouwbaar = reliable, 19. slot = lock, 20. straal = ray, 21. kanaal = canal, 24. kom = bowl, 26. naakt = naked, 27. dichter = poet.

Puzzle #49. Across: 4. evenwicht = equilibrium, 6. zevende = seventh, 8. redden = rescue, 10. woonplaats = residence, 14. echtscheiding = divorce, 15. vriendschap = friendship, 17. scheur = crack, 19. begrafenis = funeral, 23. molenaar = miller, 25. afscheiding = separation, 26. ondernemen = undertake, 27. val = trap, 28. paal = stake, 29. hongerig = hungry. **Down:** 1. gordel = belt, 2. vezel = fibre, 3. oever = shore, 5. belonen = reward, 7. drukker = printer, 9. baksteen = brick, 11. geluk = happiness, 12. zinken = sink, 13. touw = rope, 16. weigering = refusal, 18. haven = harbour, 20. keizer = emperor, 21. intrige = plot, 22. kraan = tap, 23. min = minus, 24. korrel = grain.

Puzzle #50. Across: 1. vrachtauto = truck, 3. aanpassing = adjustment, 8. haak = hook, 9. appartement = apartment, 10. nachtmerrie = nightmare, 16. verwerping = rejection, 17. schudden = shake, 18. schreeuwen = shout, 19. romp = hull, 20. bestrating = pavement, 21. gierzwaluw = swift, 23. duivel = devil, 26. vooroordeel = prejudice, 27. geduld = patience, 28. vloed = flood. **Down:** 2. gebruik = custom, 4. diefstal = theft, 5. spek = bacon, 6. erfenis = inheritance, 7. marmer = marble, 11. zwaartekracht = gravity, 12. nevel = mist, 13. zeilen = sail, 14. recept = recipe, 15. wiskundig = mathematical, 17. ondiep = shallow, 21. glooiing = slope, 22. zonde = sin, 24. rooster = grid, 25. pastei = pie.

Puzzle #51. Across: 2. hemel = sky, 4. dragen = wear, 5. herder = shepherd, 8. plaats = spot, 10. inmiddels = meanwhile, 11. druppel = drop, 14. monster = sample, 16. roeien = row, 19. fotograaf = photographer, 21. luxe = luxury, 24. plan = intention, 25. scheidsrechter = referee, 26. scheuren = tear, 27. doden = kill. **Down:** 1. gazon = lawn, 2. chirurg = surgeon, 3. kort = brief, 6. schilder = painter, 7. balk = beam, 8. langzaam = slow, 9. verwerpen = reject, 12. voorspoed = prosperity, 13. schenken = pour, 14. zich overgeven = surrender, 15. wonder = miracle, 17. kolonie = colony, 18. vast = fixed, 20. hamer = hammer, 22. gids = guide, 23. dok = dock.

Puzzle #52. Across: 2. tegenover = opposite, 5. vullen = fill, 8. ontsnapping = escape, 10. beheren = manage, 12. onderneming = enterprise, 13. jurk = dress, 16. meel = meal, 17. beperken = limit, 19. voorstel = proposal, 21. gouden = golden, 22. slaapkamer = bedroom, 26. aangeven = indicate, 27. landbouw = agriculture, 28. schuldig = guilty, 29. de jouwe = yours, 30. bestendig = permanent. **Down:** 1. verwerpen = reject, 3. redacteur = editor, 4. dromen = dream, 6. uiteraard = naturally, 7. bestelwagen = van, 9. vestiging = establishment, 11. ijzer = iron, 14. fabriek = factory, 15. fotografie = photography, 18. blessure = injury, 20. vaak = regularly, 23. rustig = quietly, 24. familielid = relative, 25. voltooien = finish.

Puzzle #53. Across: 1. hertog = duke, 3. stichting = foundation, 4. poort = gate, 8. kwetsen = hurt, 9. besef = awareness, 12. fiat = permission, 14. behandelen = treat, 17. voornaamste = principal, 18. verborgen = hidden, 19. borst = chest, 20. verschuiving = shift, 21. kern = core, 22. gevolg = consequence, 23. saké = sake, 26. aanvaardbaar = acceptable, 27. aankomst = arrival. **Down:** 1. tekening = drawing, 2. duisternis = darkness, 5. aanhang = supporters, 6. snel = rapid, 7. tellen = count, 10. auteur = writer, 11. treurig = sad, 13. strand = beach, 15. elektronisch = electronic, 16. voorlopig = temporary, 18. gehoor = hearing, 20. kleven = stick, 24. bel = bell, 25. golf = wave.

Puzzle #54. Across: 2. trouwen = marry, 8. inhoud = contents, 10. drukproef = proof, 12. inpakken = pack, 13. schakelen = switch, 16. bewaken = guard, 19. aankomen = arrive, 22. klimaat = climate, 23. aanleg = tendency, 26. afwisselen = vary, 27. zeventig = seventy, 28. bewust = conscious. **Down:** 1. colbert = jacket, 3. ziek = sick, 4. huur = rent, 5. diepte = depth, 6. ongeveer = approximately, 7. laden = load, 9. weddenschap = bet, 11. voorts = furthermore, 13. verstandig = sensible, 14. waarschuwing = warning, 15. voeren = feed, 17. ten slotte = ultimately, 18. vies = dirty, 20. waarneming = observation, 21. pek = pitch, 22. krekel = cricket, 24. nieuw = novel, 25. apparaat = device.

Puzzle #55. Across: 3. teken = indication, 6. onbewerkt = raw, 8. gepensioneerd = retired, 9. stroom = stream, 11. veelvoud = multiple, 14. vertegenwoordiger = representative, 18. foto = photograph, 19. bevestigen = confirm, 21. geregistreerd = registered, 23. verdenken = suspect, 26. leder = leather, 27. voorschrift = regulation, 28. werktuig = tool, 29. aankondiging = announcement. **Down:** 1. taalkundig = linguistic, 2. sigaret = cigarette, 4. trots = pride, 5. bom = bomb, 7. schatten = estimate, 10. beseffen = realize, 12. bewust = conscious, 13. gedicht = poem, 15. binding = bond, 16. kuip = vat, 17. overhemd = shirt, 20. bescheiden = modest, 22. broodje = roll, 23. afdoen = settle, 24. stoom = steam, 25. eenheid = unity.

Puzzle #56. Across: 2. handel = trading, 5. bevredigen = satisfy, 6. gecompliceerd = complicated, 7. gelach = laughter, 9. bakker = baker, 11. kathedraal = cathedral, 14. gen = gene, 15. klimmen = climb, 19. gebaar = gesture, 20. huurcontract = lease, 21. los = loose, 22. alcohol = spirits, 26. Bijbel = bible, 27. wapen = weapon, 28. te weten = namely, 29. controleren = audit. **Down:** 1. kristal = crystal, 3. marine = navy, 4. buis = pipe, 8. lachwekkend = ridiculous, 9. lager = bearing, 10. afstaan = yield, 12. hout = timber, 13. koopman = merchant, 16. afspiegeling = reflection, 17. agnosceren = recognize, 18. optelling = addition, 23. hok = pen, 24. rang = rank, 25. slagen = succeed.

Puzzle #57. Across: 1. vertelsel = tale, 3. achterdocht = suspicion, 7. incidenteel = random, 9. haast maken = hurry, 10. dienares = servant, 12. buis = tube, 13. bioscoop = cinema, 14. knap = handsome, 15. dwaas = fool, 17. hek = fence, 21. buur = neighbour, 24. omtrek = outline, 25. kloppen = knock, 27. stomp = dull, 28. waterplas = pond, 29. treffend = striking. **Down:** 1. triomferen = triumph, 2. moed = courage, 4. amper = scarcely, 5. kleding = clothing, 6. aansluiting = junction, 8. kind = infant, 11. inleggen = preserve, 16. aanbevelen = recommend, 18. gek = crazy, 19. reus = giant, 20. rest = remainder, 22. bank = bench, 23. verwonden = wound, 26. kap = cap.

Puzzle #58. Across: 2. edel = noble, 3. zanger = singer, 5. betreuren = regret, 7. verschillen = differ, 9. grootvader = grandfather, 11. weduwe = widow, 13. avontuur = adventure, 14. bidden = pray, 16. zaad = seed, 17. komedie = comedy, 18. diep = profound, 20. avondeten = supper, 22. kliniek = clinic, 24. uitgever = publisher, 25. decaan = dean, 26. schuilplaats = shelter, 29. fabriceren = manufacture. **Down:** 1. toestaan = permit, 4. bende = gang, 6. houterig = rigid, 8. dienblad = tray, 10. adresboek = directory, 12. middel = waist, 15. adoreren = worship, 18. bezitten = possess, 19. dek = deck, 21. pauze = pause, 23. inlichten = inform, 27. afstemmen = tune, 28. roven = rob.

Puzzle #59. Across: 1. schuur = barn, 7. bries = breeze, 8. gebrek = shortage, 11. meermaals = repeatedly, 14. koe = cow, 15. nuance = shade, 16. klif = cliff, 19. vermogend = wealthy, 20. achterdochtig = suspicious, 22. zwaard = sword, 23. vergeven = forgive, 27. aanbesteding = tender, 28. beeldhouwen = sculpture, 29. herberg = inn, 30. uitsluiten = exclude. **Down:** 2. waardering = appreciation, 3. aansporen = urge, 4. geweten = conscience, 5. ellende = misery, 6. aanmerking = remark, 9. wakker = awake, 10. gebogen = bent, 12. oefenen = practise, 13. aartsbisschop = archbishop, 17. vonnis = verdict, 18. tegenstander = opponent, 21. doen alsof = pretend, 24. bak = vessel, 25. lelijk = ugly, 26. beschonken = drunk.

Puzzle #60. Across: 2. saus = sauce, 5. achtervolging = pursuit, 8. vormsel = confirmation, 9. zeehond = seal, 10. uitbuiten = exploit, 12. gevangenis = jail, 13. waterstof = hydrogen, 15. zeep = soap, 17. nalatigheid = negligence, 21. aankondigen = announce, 25. fruiten = fry, 28. kalender = calendar, 29. ongelukkige = unfortunate. **Down:** 1. omgeving = surroundings, 3. aangrenzend = adjacent, 4. voor voldaan tekenen = receipt, 6. adelaar = eagle, 7. vervangen = substitute, 11. kruier = porter, 14. beknotten = restrict, 16. aanpassen = adjust, 18. doodkist = coffin, 19. grijs = gray, 20. honger = hunger, 22. geldstuk = coin, 23. breedte = width, 24. tweeling = twins, 25. neuken = fuck, 26. kegel = pin, 27. schoen = shoe.

Puzzle #61. Across: 2. grind = gravel, 5. vennoot = partner, 8. aanmerking = criticism, 10. uitvinding = invention, 11. bruid = bride, 13. golf = gulf, 15. vangen = catch, 17. waarschuwen = warn, 19. verhaal = narrative, 21. winnen = gain, 23. gematigd = moderate, 25. opofferen = sacrifice, 28. grot = cave, 29. antiek = ancient. **Down:** 1. baars = bass, 3. uitgang = exit, 4. vasteland = mainland, 6. onderzoek = examination, 7. secundair = secondary, 8. volbracht = completed, 9. verleiding = temptation, 12. monster = specimen, 14. gezind = inclined, 16. samenzwering = conspiracy, 18. canapé = sofa, 20. aanvuren = encourage, 22. veronachtzamen = neglect, 24. hiervandaan = hence, 26. pijl = arrow, 27. tas = bag.

Puzzle #62. Across: 2. nagekomen = subsequent, 3. groot = tall, 7. platteland = countryside, 10. ongemeen = rare, 11. reglement = regulations, 16. achteraf = afterwards, 20. voertuig = vehicle, 22. enigszins = somewhat, 23. monteren = link, 24. reis = trip, 26. afschaffen = remove, 28. van oorsprong = originally, 29. begrepen = understood. **Down:** 1. overig = remaining, 2. pak = suit, 4. lokaliteit = location, 5. zich verbazen = wonder, 6. binnenste = inner, 8. bedrag = sum, 9. bovendien = moreover, 12. uitgebreid = extensive, 13. geleerd = learned, 14. ijs = ice, 15. gewillig = willing, 17. in het buitenland = abroad, 18. afnemen = decline, 19. lessenaar = desk, 21. gevecht = struggle, 25. aansluiten = pool, 27. oud = aged.

Puzzle #63. Across: 5. raam = framework, 7. langzamerhand = gradually, 9. imperium = empire, 11. aangenomen = adopted, 12. arbeider = worker, 13. vijfde = fifth, 14. dragen = suffer, 16. geleiden = conduct, 17. beleven = survive, 18. orkestreren = score, 22. geweer = gun, 25. toestemming = consent, 26. aangaande = concerning, 27. parochie = parish, 28. geheim = secret, 29. enquête = inquiry. **Down:** 1. achting = regard, 2. openbaarmaking = publication, 3. veelomvattend = comprehensive, 4. rijkdom = wealth, 6. afbeelding = representation, 7. galerie = gallery, 8. jas = coat, 10. berging = recovery, 15. achteraf = subsequently, 19. afgietsel = cast, 20. dupe = victim, 21. echt = genuine, 23. rand = border, 24. dans = dance.

Puzzle #64. Across: 1. bezoldiging = wage, 3. bezorgd = anxious, 6. doek = painting, 8. eigendom = ownership, 14. opklimmend = rising, 15. behulpzaam = helpful, 16. behoud = conservation, 19. kader = frame, 20. tevreden = pleased, 23. ontdekken = discover, 25. ban = territory, 28. gericht = judgment, 29. herhaald = repeated. **Down:** 2. doorzien = guess, 4. negentiende = nineteenth, 5. blazen = blow, 7. beklaagde = defendant, 9. premie = prize, 10. klassiek = classical, 11. valuta = currency, 12. boosheid = anger,

13. zichtbaar = visible, 16. kamperen = camp, 17. schikking = arrangement, 18. pensioen = retirement, 21. invalide = disabled, 22. nakomen = perform, 24. dom = stupid, 26. eerlijk = honest, 27. heester = bush.

Puzzle #65. Across: 3. ver = remote, 4. karakter = personality, 5. radeloos = desperate, 9. zacht = gentle, 11. heelal = universe, 17. aankomend = junior, 18. tevredenheid = satisfaction, 21. procent = percent, 23. kampioen = champion, 25. bovendien = besides, 26. ontstaan = arise, 27. ha = aha, 28. deskundig = expert. **Down:** 1. belasten = burden, 2. inbeelding = imagination, 4. lopen = pace, 5. dozijn = dozen, 6. onecht = false, 7. nederlaag = defeat, 8. doorklieven = split, 10. opwinding = excitement, 12. lieveling = favourite, 13. wissel = draft, 14. muzikaal = musical, 15. ontdekking = discovery, 16. benadelen = harm, 19. kenbaar maken = reveal, 20. honorarium = fee, 22. gedenken = recall, 24. bloot = mere.

Puzzle #66. Across: 4. berusting = resignation, 6. negeren = ignore, 7. afgemeten = measured, 8. gouverneur = governor, 10. ontkennen = deny, 12. geraffineerd = sophisticated, 16. hemel = heaven, 19. bevredigend = satisfactory, 20. vernietiging = destruction, 21. geruit = checked, 23. detineren = retain, 25. extern = outer, 26. politiepatrouille = squad, 28. storen = bother, 29. angst = anxiety, 30. onderzoeken = investigate. **Down:** 1. waar dan ook = wherever, 2. lot = fate, 3. ineenstorten = collapse, 5. courant = journal, 9. buigzaam = flexible, 11. begrensd = restricted, 13. procent = percentage, 14. bestendig = steady, 15. afkeuren = refuse, 17. nergens = nowhere, 18. nederlaag = defeat, 22. bedremmeld = upset, 24. onschuldig = innocent, 27. geldig = valid.

Puzzle #67. Across: 1. tevreden = satisfied, 3. woestijn = desert, 5. vernielen = destroy, 6. afleveren = deliver, 7. tegenspartelen = resist, 9. onderscheiden = distinguish, 11. aansluiting = joining, 12. kapel = chapel, 13. te werk gaan = proceed, 14. aandurven = venture, 17. grens = boundary, 18. spoedeisend = urgent, 19. inwendige = interior, 22. afbakenen = trace, 23. debiteren = relate, 24. bak = joke, 25. Gratie = grace, 26. grondig = thoroughly. **Down:** 1. zang = singing, 2. pa = daddy, 4. geleerde = scientist, 5. wagen = dare, 8. grandioos = superb, 9. verdedigen = defend, 10. gruwel = horror, 12. overtuiging = conviction, 15. achttiende = eighteenth, 16. uitgaaf = expenses, 20. aan komen lopen = tackle, 21. wekelijks = weekly.

Puzzle #68. Across: 5. doek = cloth, 7. droevig = sadly, 8. bedaard = calm, 10. najagen = pursue, 11. neef = cousin, 13. verdienen = earn, 14. beneden = underneath, 16. ontraadselen = solve, 19. agressief = aggressive, 21. modder = mud, 23. afluisteren = monitor, 24. achteruit = backwards, 25. wang = cheek, 26. aangeleerd = learnt, 27. twintigste = twentieth, 28. grandioos = magnificent. **Down:** 1. afdak = shed, 2. gehavend = damaged, 3. dienstregeling = schedule, 4. zeer = painful, 6. douwen = thrust, 7. foei = shame, 9. veranderen = alter, 11. begrip = conception, 12. ongelukkig = unhappy, 15. amusement = entertainment, 17. belegen = mature, 18. forceren = impose, 20. verbazingwekkend = amazing, 22. menigvoudig = varied.

Puzzle #69. Across: 2. stiptheid = accuracy, 4. schuld = guilt, 6. bestraling = radiation, 7. plaat = disc, 9. fiets = bike, 11. herinneren = remind, 13. aannemen = employ, 15. boel = pile, 17. deelnemen = participate, 18. begenadigen = pardon, 19. balanceren = swing, 20. vijg = fig, 21. deuropening = doorway, 23. dapper = brave, 24. handel = commerce, 25. tegenwoordig = nowadays, 27. rugstuk = reverse, 28. noodzaak = necessity, 29. hallo = hey. **Down:** 1. verdomd = damn, 3. bestuur = reign, 5. metro = underground, 8. klacht = complaint, 10. zeldzaam = precious, 12. aandringen = insist, 14. afmeting = measurement, 16. grandioos = magnificent, 19. apart = separately, 22. fokken = breed, 26. schunnig = nasty.

Puzzle #70. Across: 2. buitensporigheid = excess, 5. aansporing = stimulus, 8. aktentas = portfolio, 9. aanwakkeren = fan, 10. aanwensel = trick, 15. balie = tribunal, 16. koloniaal = colonial, 18. schaal = dish, 20. gevangene = prisoner, 22. beestachtig = harsh, 24. aanmoediging = encouragement, 27. metro = underground, 28. geleerd = educated, 29. verloofd = engaged. **Down:** 1. bestendig = sustained, 3. zelden = seldom, 4. intrekken = withdraw, 6. onbekende = stranger, 7. zwak = faint, 11. vervelend = boring, 12. afstammeling = successor, 13. aangeboren = native, 14. maat = companion, 15. bedreigend = threatening, 17. lelie = lily, 19. naar boven = upwards, 21. steil = steep, 23. lenen = borrow, 25. paren = mate, 26. vaarwel = goodbye.

Puzzle #71. Across: 3. verslappen = relax, 4. huren = hire, 7. aanhalen = quote, 9. chroniqueur = historian, 15. vermeerderen = enhance, 17. aroma = flavour, 19. ouder = elder, 21. lieveling = darling, 23. definitief = positively, 25. dol = furious, 26. achterklap = scandal, 29. loven = praise, 30. couplet = verse. **Down:** 1. verleden = prior, 2. burger = citizen, 5. gevolg = suite, 6. verzamelen = gather, 8. afleiden = extract, 10. tabak = tobacco, 11. enorm = immense, 12. zekerheid = certainty, 13. bedreven = skilled, 14. maat = companion, 16. mul = sandy, 18. voorstellen = propose, 20. ontslaan = discharge, 22. aaien = stroke, 24. eerzaam = worthy, 27. wreed = cruel, 28. zinspelen = hint.

Puzzle #72. Across: 2. gelukkig = fortunate, 3. fjord = loch, 4. nutteloos = useless, 6. aas = ace, 12. ruw = crude, 14. moment = instant, 18. brutaal = bold, 19. beslissend = decisive, 21. kabbelen = lap, 23. leunen = lean, 24. waardigheid = dignity, 26. dissertatie = thesis, 27. knechten = submit, 28. bundel = bunch, 29. bars = unpleasant. **Down:** 1. kwalificeren = qualify, 2. voorspellen = forecast, 5. verwachting = expectation, 7. geest = ghost, 8. handelen = negotiate, 9. sap = juice, 10. volhardend = persistent, 11. band = binding, 13. verlegenheid = embarrassment, 15. gauw = swiftly, 16. beperking = restriction, 17. landbouw = farming, 20. reageren = react, 22. verlaten = abandon, 25. aan = toward.

Puzzle #73. Across: 6. schragen = sustain, 7. wanhopen = despair, 8. gehaast = hurried, 9. mormel = monster, 11. pleiten = plea, 14. beroerd = miserable, 16. muntstempel = stamp, 18. heilige = saint, 19. baar = rod, 21. zeventiende = seventeenth, 25. schatting =

tribute, 26. aangrenzend = neighbouring, 29. dwaas = foolish, 30. pakje = packet. **Down:** 1. bekken = basin, 2. befaamdheid = fame, 3. aangeschoten = wounded, 4. nadelig = adverse, 5. omroepen = broadcast, 10. troon = throne, 12. dicht = compact, 13. beschaafd = polite, 15. aanvulling = supplement, 17. lustig = cheerful, 20. slepen = drag, 22. jager = hunter, 23. eksteroog = corn, 24. brengen = fetch, 27. beet = bite, 28. keuvelen = chat.

Puzzle #74. Across: 1. barmhartigheid = mercy, 6. de hunne = theirs, 8. bazin = mistress, 13. klomp = lump, 14. afname = decrease, 17. afdingen = bargain, 21. samenkomst = gathering, 22. bekleden = occupy, 23. aangepast = adapted, 26. minachting = contempt, 27. borg staan voor = warrant, 28. kreunen = sigh, 29. ontslaan = sack, 30. bizar = weird. **Down:** 2. aftreden = retire, 3. houder = holder, 4. illusoir = misleading, 5. beschaamd = ashamed, 7. afdaling = descent, 9. redding = salvation, 10. voetbal = soccer, 11. flitsen = flash, 12. overzetboot = ferry, 15. boksen = boxing, 16. overtreffen = exceed, 18. goedkeuren = approve, 19. nieuwsgierigheid = curiosity, 20. willekeurig = arbitrary, 24. opvoeden = tutor, 25. kronkelen = twist.

Puzzle #75. Across: 1. schuld = debt, 4. enig = unique, 7. bedaagd = elderly, 11. onafhankelijkheid = independence, 13. aardig = friendly, 18. slecht = badly, 19. straf = severe, 20. fonds = till, 21. ergens = anywhere, 22. behelzen = contain, 25. een of ander = anybody, 26. buit maken = obtain, 27. amusant = funny, 28. intonatie = tone, 29. aanblik = aspect, 30. geoefend = experienced. **Down:** 2. miljard = billion, 3. fout = mistaken, 5. gekozen = elected, 6. levend = alive, 8. abundantie = plenty, 9. afbeelden = represent, 10. afstropen = harry, 12. snuiter = guy, 14. onderscheiding = distinction, 15. behoud = maintenance, 16. aandoen = affect, 17. afgevaardigde = deputy, 23. aanpakken = advance, 24. slechtst = worst.

Puzzle #76. Across: 7. bleek = pale, 9. aangeleerd = acquired, 11. behalve = alongside, 13. grotendeels = mostly, 14. aspirant = candidate, 16. crisis = emergency, 18. begrenzen = bound, 19. schuld = fault, 21. plotseling = sudden, 26. tegenkanting = resistance, 27. fout = mistaken, 28. indienen = introduce, 29. achtervoegsel = extension. **Down:** 1. pal = firmly, 2. aanbieden = bid, 3. disputeren = argue, 4. bezoldiging = wages, 5. geliefd = loved, 6. merkwaardig = remarkable, 8. toegeven = admit, 10. vergelijking = comparison, 12. verplegen = attend, 15. klaveren = clubs, 17. vijand = enemy, 19. ameublement = furniture, 20. houten = wooden, 22. afhangen = depend, 23. opwindend = exciting, 24. begrip = notion, 25. bres = gap.

Puzzle #77. Across: 1. onafgebroken = continuous, 4. heilig = holy, 10. prestatie = achievement, 11. daarnaast = nearby, 13. klinisch = clinical, 14. achterstallig = outstanding, 17. longtering = consumption, 19. advocaat = solicitor, 20. aanrekenen = blame, 23. alles wel beschouwd = altogether, 25. hoofdkwartier = headquarters, 27. alleenstaand = isolated, 28. hoed = hat, 29. helder = distinct. **Down:** 2. omzet = turnover, 3. koets = coach, 5. echt = truly, 6. amusement = fun, 7. huisje = cottage, 8. dol = mad, 9. afleren = teach, 12. bestek = extend, 13. beloning = compensation, 15. expres = deliberately, 16. zelfbewust = confident, 18. kosten = expense, 21. boven = upstairs, 22. barmhartigheid = charity, 24. afhelpen = rid, 26. doof = deaf.

Puzzle #78. Across: 5. genoeg = sufficiently, 8. agrarisch = agricultural, 13. graaf = earl, 16. aurora = dawn, 19. aanbevolen = recommended, 21. aardlaag = layer, 22. zeker = undoubtedly, 24. bezoeken = frequent, 25. arrest = judgement, 28. consigne = directions, 29. aldoor = constantly. **Down:** 1. wisselend = variable, 2. buitengewoon = extraordinary, 3. aanlokken = attract, 4. gewond = injured, 6. volk = folk, 7. bef = bands, 9. dicht = concentrated, 10. actualiteit = topic, 11. bedreven = clever, 12. herbergier = landlord, 14. gemeen = abandoned, 15. vergelijken = compare, 17. eerstkomend = nearest, 18. bloot = bare, 20. ver = distant, 23. op slot = locked, 24. weefsel = fabric, 26. moes = mess, 27. de hare = hers.

Puzzle #79. Across: 1. haast maken = rush, 4. aanstaren = gaze, 5. grafiek = graphics, 8. doorwaden = ford, 9. bedoelen = intend, 10. aanranden = assault, 11. toelating = admission, 12. aanvechting = disposal, 15. op = worn, 19. behalen = acquire, 21. gedenkdag = anniversary, 22. beneden = downstairs, 23. bestek = bulk, 24. nauw = tight, 25. zijde = silk, 26. licht = lightly, 27. concurreren = compete, 28. streng = strict. **Down:** 1. verhuizing = removal, 2. doelmatig = convenient, 3. amper = barely, 6. begrensd = confined, 7. besef = consciousness, 13. onbepaald = uncertain, 14. opdagen = emerge, 16. verwekken = generate, 17. ver = distant, 18. begerenswaardig = desirable, 20. affuit = carriage, 22. in verrukking brengen = delight.

Puzzle #80. Across: 1. een geintje maken = kid, 6. besef = consciousness, 8. toerist = tourist, 10. verkrachting = rape, 12. tikken = pat, 13. schepsel = creature, 16. duim = inch, 18. amper = barely, 19. geliefde = lover, 22. bindend = compulsory, 25. graad = grade, 27. aanwinst = asset, 29. verrukt = delighted, 30. ambtshalve = officially. **Down:** 2. karakteristiek = distinctive, 3. adieu = bye, 4. achterhoede = rear, 5. gehaat = hated, 7. slim = smart, 9. bereisd = travelled, 11. flikker = gay, 14. abdij = abbey, 15. bemachtigen = grip, 17. afbikken = chip, 20. daarvoor = formerly, 21. eeuwig = forever, 23. soliditeit = virtue, 24. bedenken = fancy, 26. getij = tide, 28. beklagen = pity.

Puzzle #81. Across: 1. vochtig = damp, 5. afscheiden = divide, 10. maandelijks = monthly, 13. gekheid = nonsense, 15. toernooi = tournament, 16. concours = contest, 17. buit = prey, 19. bediende = clerk, 20. boekhouding = accounting, 23. afwezig = absent, 25. college = lecture, 27. bereikbaar = accessible, 28. einde = ending, 29. speurtocht = exploration, 30. anders = differently. **Down:** 2. monteren = mount, 3. dissertatie = essay, 4. karakteristiek = distinctive, 6. aantreffen = encounter, 7. gelukkig = fortunately, 8. dichtheid = density, 9. woest = fierce, 11. vijandelijk = hostile, 12. boer = peasant, 14. aldoor = constantly, 18. berichten = communicate, 21. vredig = peaceful, 22. akelig = horrible, 24. zich gedragen = behave, 26. algemeen = vague.

Puzzle #82. Across: 2. bemachtigen = grasp, 6. nader = nearer, 7. zwemmen = swimming, 9. aanpassen = accommodate, 11. geschiktheid = fitness, 17. determineren = fix, 20. verdriet = grief, 21. aapje = cab, 22. aldoor = continually, 25. aanboren = bore, 26. onverschillig wie = whoever, 27. daarop = thereafter, 28. goedheid = goodness, 29. bereden = mounted. **Down:** 1. besparing = saving, 3. agnosceren = acknowledge, 4. oplichting = fraud, 5. afdoen = conclude, 8. ingezet stuk = patch, 10. pariteit = equality, 11. goedgezind = favourable, 12. echt = genuinely, 13. buurt = neighbourhood, 14. uitmaken = constitute, 15. log = awkward, 16. eigenaardig = peculiar, 18. aandoening = affection, 19. twee weken = fortnight, 23. belichting = lighting, 24. ontzetting = terror.

Puzzle #83. Across: 1. toekomen = deserve, 4. modieus = fashionable, 5. doek = curtain, 8. tijdelijk = temporarily, 9. oog = dot, 10. brochure = leaflet, 12. verpestend = catching, 13. stil = silently, 14. bemesting = dressing, 15. klagen = complain, 17. behoedzaamheid = caution, 19. mooi = beautifully, 20. heilig = sacred, 22. beetnemen = capture, 23. afslanken = slim, 24. discutabel = doubtful, 25. dubbel = dual, 26. deels = partially, 27. overtuigen = convince, 28. uitmaken = constitute. **Down:** 2. zonlicht = sunlight, 3. gescheurd = torn, 6. afschaffing = abolition, 7. menigvoudig = diverse, 9. afbeelding = diagram, 11. geheim = confidential, 16. beschermend = protective, 17. feestviering = celebration, 18. bedenking = objection, 21. kostbaar = costly.

Puzzle #84. Across: 2. hoofd der school = headmaster, 5. achtervolgen = chase, 7. afstand = offset, 8. beeldig = delightful, 12. sterk = strongly, 13. mat = matt, 18. inrichten = tidy, 19. breedvoerig = vast, 20. berekening = calculation, 25. aanhang = followers, 26. emotioneel = touching, 27. bestaan uit = consist, 28. staat = realm, 29. buitengewoon = formidable, 30. lawaaierig = noisy. **Down:** 1. behoud = preservation, 3. hardop = loudly, 4. dichtslaan = bang, 6. belemmering = handicap, 9. steeg = lane, 10. schrikaanjagend = terrible, 11. beoefenaar = practitioner, 14. minpunt = disadvantage, 15. aankondigen = counsel, 16. vloeibaar = fluid, 17. beleefdheid = courtesy, 21. naar men zegt = allegedly, 22. berusting = submission, 23. verspild = wasted, 24. bekeren = convert.

Puzzle #85. Across: 4. min = fewer, 7. vrijwillig = voluntary, 9. verheugenis = joy, 13. bestaan uit = consist, 17. verrassend = surprising, 19. dienovereenkomstig = accordingly, 20. schijf = disk, 23. stil = silent, 25. beproefd = approved, 29. aansprakelijkheid = liability, 30. bloedverwanten = relatives. **Down:** 1. aaneen = fellow, 2. druk = keen, 3. werkeloos = unemployed, 5. allerwegen = everywhere, 6. karpet = carpet, 8. reclame = advertising, 10. toevallig = occasional, 11. bekeren = convert, 12. waarnemend = acting, 14. geestelijk = spiritual, 15. met goed gevolg = successfully, 16. daarmede = thereby, 18. opgang = stairs, 21. afhankelijk = dependent, 22. eiser = plaintiff, 24. finaal = wholly, 26. gaan = ride, 27. kamer = chamber, 28. verheugd = glad.

Puzzle #86. Across: 6. toonbank = counter, 8. kamers = quarters, 9. vissen = fishing, 10. keurig = decent, 11. inzonderheid = specially, 13. knap = neat, 15. hiërarchie = hierarchy, 17. dientengevolge = consequently, 20. verstandig = wise, 23. belichting = exposure, 25. beleid = discretion, 26. universeel = worldwide, 27. arglist = craft, 28. titel = heading, 29. aangeven = convey. **Down:** 1. weefsel = tissue, 2. brandend = pressing, 3. zwakte = weakness, 4. waardoor = whereby, 5. bediening = attendance, 7. tegenvaller = disappointment, 12. jaartelling = era, 14. eenzaam = lonely, 16. coherent = connected, 18. begroting = estimates, 19. jongen = lad, 20. wijsheid = wisdom, 21. zwangerschap = pregnancy, 22. behandeling = handling, 24. gretig = eager.

Puzzle #87. Across: 3. bestemming = destination, 6. karrespoor = trail, 9. het opnemen tegen = combat, 10. onzichtbaar = invisible, 13. voerman = carrier, 16. aanbeeldbeitel = hardy, 19. eveneens = likewise, 22. zonneschijn = sunshine, 24. bederf = corruption, 25. dientengevolge = consequently, 26. angstig = grave, 28. beklimming = climbing, 29. strak = tightly, 30. bedrukt = depressed. **Down:** 1. beraadslagen = deliberate, 2. salon = lounge, 4. luchtvaartmaatschappij = airline, 5. even = alike, 7. wil = willingness, 8. bedroeven = distress, 11. waarschijnlijk = probable, 12. afhankelijkheid = dependence, 14. behoedzaam = cautious, 15. 'm smeren = disappear, 17. maagd = virgin, 18. bepalend = determining, 20. verloving = engagement, 21. kast = cupboard, 23. leverancier = supplier, 27. bedeesd = shy.

Puzzle #88. Across: 4. werkgevers = employers, 7. inhoud = content, 8. onzekerheid = uncertainty, 9. bruto = gross, 12. gestolen = stolen, 14. voorzichtig = gently, 15. gereedschap = tools, 16. aanstoot = offence, 18. afwerpen = afford, 23. aanzienlýk = considerably, 24. bijwerken = update, 26. stek = cutting, 27. excerpt = summary, 28. wegen = roads, 29. beschrýven = describe. **Down:** 1. ýselýk = awful, 2. overgang = transition, 3. rundvee = cattle, 5. voorrang = priority, 6. eis = requirement, 7. kanselier = chancellor, 10. gesproken = spoken, 11. verhouding = ratio, 13. heerlijk = delicious, 17. compleet = entire, 19. ramp = disaster, 20. geselecteerd = selected, 21. adequaat = fitting, 22. geavanceerd = advanced, 25. vrije tijd = leisure.

Puzzle #89. Across: 1. zelfdoding = suicide, 4. herstellen = restore, 5. afsluiting = closing, 8. aandoenlýk = affecting, 9. kerel = chap, 11. doeltreffendheid = effectiveness, 12. grof = everyday, 13. kapitalisme = capitalism, 19. aardappelen = potatoes, 22. heerlijk = delicious, 26. beschikbaarheid = availability, 27. uitzonderlýk = exceptional. **Down:** 1. alleen = solely, 2. ontwerper = designer, 3. voorkeur = preference, 6. geslacht = gender, 7. ontvanger = receiver, 9. býdragen = contribute, 10. aalwaardig = straightforward, 14. inschrijving = registration, 15. fabrikant = manufacturer, 16. gemenebest = commonwealth, 17. effecten = securities, 18. allereerst = firstly, 20. gevoeligheid = sensitivity, 21. voorbeeld = instance, 22. domein = domain, 23. ad rem = lively, 24. brandend = burning, 25. roken = smoking.

Puzzle #90. Across: 1. afwerking = finishing, 6. onaannemelýk = incredible, 8. gehecht = devoted, 10. spijkerbroek = jeans, 11. terstond = instantly, 13. schrikaanjagend = dreadful, 15. vergelýkenderwýs = comparatively, 16. oogst = harvest, 18. herinnering = reminder, 20. cilinder = cylinder, 21. natrium = sodium, 24. knoflook = garlic, 25. aardappel = potato, 27. stikstof = nitrogen, 28. ouderlýk = parental. **Down:** 2. vervanging = substitution, 3. koor = chorus, 4. voeding = feeding, 5. goddelýk = divine, 7. mol = mole, 9. nier = kidney, 12. emmer = bucket, 14. býdragen = contribute, 17. opgelucht = relieved, 18. regenboog = rainbow, 19. liniaal = ruler, 21. glijbaan = slide, 22. atoom = atom, 23. zeilen = sailing, 26. oogst = crop.

Puzzle #91. Across: 2. moeras = marsh, 4. paspoort = passport, 5. koorts = fever, 6. mist = fog, 7. heup = hip, 12. toetsenbord = keyboard, 14. vlinder = butterfly, 16. hiel = heel, 18. terstond = instantly, 19. buik = belly, 22. fiets = bicycle, 25. vochtig = moist, 27. ui = onion, 28. octrooi = patent, 29. forel = trout, 30. bliksem = lightning. **Down:** 1. verbinding = compound, 3. chirurgisch = surgical, 8. groente = vegetable, 9. aardewerk = pottery, 10. vork = fork, 11. uitspraak = pronunciation, 13. herhaling = repetition, 15. long = lung, 17. ivoor = ivory, 20. kant = lace, 21. ketel = kettle, 23. geit = goat, 24. negende = ninth, 26. zwaan = swan.

Puzzle #92. Across: 1. enkel = ankle, 3. hooi = hay, 6. gerst = barley, 8. velg = rim, 10. schiereiland = peninsula, 12. tarwe = wheat, 13. spin = spider, 17. snor = moustache, 19. draad = thread, 22. breien = knit, 24. schillen = peel, 25. linnen = linen, 27. meter = metre, 28. hulst = holly. **Down:** 2. luitenant = lieutenant, 4. eetlust = appetite, 5. recept = prescription, 6. boon = bean, 7. snoek = pike, 9. klooster = monastery, 11. slang = snake, 14. raket = rocket, 15. vergiftigen = poison, 16. vertalen = translate, 18. annuleren = cancel, 20. aap = monkey, 21. lade = drawer, 22. knoop = knot, 23. tand = tooth, 26. griep = flu.

Puzzle #93. Across: 1. paraplu = umbrella, 6. donder = thunder, 10. kieuw = gill, 11. slikken = swallow, 13. kern = nucleus, 15. kleverig = sticky, 17. dagvaarding = summons, 19. fontein = fountain, 22. driehoek = triangle, 23. aanpassing = adaptation, 25. inkt = ink, 27. aandeelhouder = shareholder, 28. vriezen = freeze. **Down:** 2. vluchteling = refugee, 3. kudde = herd, 4. versnelling = acceleration, 5. kogel = bullet, 7. asiel = asylum, 8. rot = rotten, 9. hoesten = cough, 12. fluiten = whistle, 14. lepel = spoon, 16. nagel = nail, 18. mozaïek = mosaic, 20. stapelen = stack, 21. slager = butcher, 24. dief = thief, 26. klep = valve, 27. zuur = sour, 29. dierentuin = zoo.

Puzzle #94. Across: 1. bagage = luggage, 3. geur = scent, 6. uil = owl, 10. kompas = compass, 11. daglicht = daylight, 14. kerrie = curry, 16. portiek = porch, 18. baard = beard, 19. eed = oath, 21. kikker = frog, 23. parel = pearl, 24. vegen = sweep, 27. worst = sausage, 28. anaal = anal, 29. haag = hedge. **Down:** 2. akoestisch = acoustic, 4. drempel = threshold, 5. abt = abbot, 7. rem = brake, 8. vuist = fist, 9. houtskool = charcoal, 12. anker = anchor, 13. klimop = ivy, 15. peper = pepper, 16. varkensvlees = pork, 17. graven = dig, 20. aarzelen = hesitate, 22. gehucht = hamlet, 25. mos = moss, 26. vleermuis = bat.

Puzzle #95. Across: 2. aanvrager = applicant, 5. hert = deer, 6. oppervlakkig = superficial, 9. spanning = voltage, 12. bibliothecaris = librarian, 15. kelner = waiter, 16. kaars = candle, 18. afscheiding = secretion, 20. koken = boil, 22. olifant = elephant, 25. hoorn = horn, 26. boog = arc, 27. vorst = frost, 28. grens = frontier, 29. kalksteen = limestone. **Down:** 1. fust = barrel, 3. turf = peat, 4. gedenkwaardig = memorable, 6. stelen = steal, 7. risico = hazard, 8. mensheid = mankind, 10. elektron = electron, 11. breekbaar = fragile, 13. halfrond = hemisphere, 14. persen = squeeze, 17. dubbelzinnig = ambiguous, 19. gil = scream, 21. fluisteren = whisper, 23. proza = prose, 24. handdoek = towel.

Puzzle #96. Across: 2. skiën = ski, 3. stam = tribe, 7. begraafplaats = cemetery, 9. wissen = wipe, 11. beurs = purse, 14. herenhuis = mansion, 16. onvolledig = incomplete, 21. montage = mounting, 22. toevallig = accidental, 23. poëtisch = poetic, 25. vaarwel = farewell, 27. hol = hollow, 28. pakje = parcel. **Down:** 1. geweer = rifle, 2. abonnement = subscription, 4. ader = vein, 5. draak = dragon, 6. neuken = screw, 7. schoorsteen = chimney, 8. stam = trunk, 10. zuiverheid = purity, 12. gleuf = slot, 13. gehoorzamen = obey, 15. zadel = saddle, 17. baan = orbit, 18. hoofdkussen = pillow, 19. kleinhandelaar = retailer, 20. steek = stitch, 24. kurk = cork, 26. pop = doll.

Puzzle #97. Across: 5. onderdrukken = suppress, 8. beek = brook, 11. nuchter = sober, 12. weergeven = reproduce, 13. knoop = node, 14. astma = asthma, 17. verwarming = heater, 19. huisvrouw = housewife, 20. slachten = slaughter, 22. filosoof = philosopher, 23. kalf = calf, 24. kruik = jug, 25. briefkaart = postcard, 28. vliegtuig = aeroplane, 29. teen = toe, 30. hindernis = obstacle. **Down:** 1. lidmaat = limb, 2. kachel = stove, 3. afbraak = demolition, 4. nieuwtje = novelty, 6. pand = pledge, 7. piramide = pyramid, 9. bederven = spoil, 10. loof = foliage, 15. bril = spectacles, 16. voering = lining, 18. isolatie = insulation, 21. zonsondergang = sunset, 26. feuilleton = serial, 27. bier = ale.

Puzzle #98. Across: 1. ambassade = embassy, 5. ezel = donkey, 7. kaap = cape, 10. opstand = rebellion, 11. voorlopig = provisional, 13. kooi = cage, 14. steken = sting, 15. lomp = rude, 18. trap = staircase, 20. zuivelfabriek = dairy, 21. kwantitatief = quantitative, 22. boekje = booklet, 24. kling = blade, 25. berekenen = calculate, 27. capuchon = hood, 28. draagbaar = portable. **Down:** 2. faillissement = bankruptcy, 3. benoemen = appoint, 4. gal = gall, 6. orkaan = hurricane, 8. mouw = sleeve, 9. onbedorvenheid = innocence, 12. onweerstaanbaar = irresistible, 16. retoriek = rhetoric, 17. verdienen = merit, 18. vonk = spark, 19. blaffen = bark, 22. balkon = balcony, 23. zweer = ulcer, 26. kaak = jaw.

Puzzle #99. Across: 2. den = pine, 8. zwavel = sulphur, 9. bezittingen = possessions, 10. lui = lazy, 11. begeleiden = accompany, 16. gekookt = cooked, 17. pakhuis = warehouse, 18. twaalfde = twelfth, 19. bankschroef = vice, 20. boog = arch, 22. auteursrecht = copyright, 24. vouwen = fold, 26. bedreigen = threaten, 28. slaaf = slave, 29. begraven = bury. **Down:** 1. lading = cargo, 2. pols = pulse, 3. aandrang = insistence, 4. fluweel = velvet, 5. as = shaft, 6. boren = drill, 7. fee = fairy, 12. aanvullend = complementary, 13. bak = container, 14. haastig = hastily, 15. leeg = vacant, 21. gietvorm = mould, 23. pleister = plaster, 25. riet = reed, 27. werkwoord = verb.

Puzzle #100. Across: 5. mengen = blend, 6. beschermheer = patron, 8. kers = cherry, 9. deemoedig = humble, 12. tuinman = gardener, 14. gebogen = curved, 15. adel = nobility, 17. strengheid = severity, 19. neef = nephew, 20. stoffig = dusty, 21. bedroefdheid = sadness, 24. getuigenis = testimony, 26. beleg = siege, 27. ontslaan = dismiss, 28. harnas = armour, 29. aanhanger = supporter, 30. stapel = heap. **Down:** 1. alfa = alpha, 2. minderwaardig = inferior, 3. zakdoek = handkerchief, 4. karton = cardboard, 7. zweep = whip, 10. bewonderen = admire, 11. werkplaats = workplace, 13. dankbaarheid = gratitude, 16. dikte = thickness, 18. dun = slender, 22. box = stall, 23. vloeken = swear, 25. bovenbeen = thigh.